NU, DE BOTAS

ANTONIO PRATA

Nu, de botas

14ª reimpressão

Companhia Das Letras

Copyright © 2013 by Antonio Prata

Grafia atualizada segundo o Acordo Ortográfico da Língua Portuguesa de 1990, que entrou em vigor no Brasil em 2009.

Capa
Alceu Chiesorin Nunes

Foto de capa
John Smith/ Corbis/ Latinstock

Preparação
Leny Cordeiro

Revisão
Valquíria Della Pozza
Carmen T. S. Costa

Dados Internacionais de Catalogação na Publicação (CIP)
(Câmara Brasileira do Livro, SP, Brasil)

Prata, Antonio
    Nu, de botas / Antonio Prata. — 1ª ed. — São Paulo : Companhia das Letras, 2013.

ISBN 978-85-359-2351-3

1. Crônicas brasileiras I. Título.

13-11032   CDD-869.93

Índice para catálogo sistemático:
1. Crônicas : Literatura brasileira 869.93

Todos os direitos desta edição reservados à
EDITORA SCHWARCZ S.A.
Rua Bandeira Paulista, 702, cj. 32
04532-002 — São Paulo — SP
Telefone: (11) 3707-3500
www.companhiadasletras.com.br
www.blogdacompanhia.com.br
facebook.com/companhiadasletras
instagram.com/companhiadasletras
twitter.com/cialetras

Sumário

Gênesis, 9
Bom menino, 19
Mau menino, 23
Alô, Bozo?, 27
Saturno × Mercúrio, 34
Injustiça, 37
Cueca I, 40
Cueca II, 46
Indefectível, 49
África, 54
Ca *Ce Ci* Co *Çu*, 58
Mulher pelada, 64
Estimação, 68
A perna do seu Duílio, 78
Happy hour, 84
Blowing in the Wind, 91

Waldir Peres, Juanito e Pölöskei, 95
Shakespeare nas dunas, 102
Banhos, 107
Sorvete e bala, 110
Senhor da chuva, 118
Presente dos céus, 122
Patos, 128
Pela janela, 133

*Ainda não estamos habituados com o mundo.
Nascer é muito comprido.*

Murilo Mendes

Gênesis

No princípio, era o chão.
No piso do quintal, ladrilhado com cacos de cerâmica vermelha, via um elefante de três pernas, um navio, um homem de chapéu fumando cachimbo. Na manhã seguinte, as imagens haviam mudado: o homem de chapéu era um bolo mordido; o elefante, parte de um olho enorme — a tromba, um cílio —; o navio zarpara, deixando para trás apenas cacos de cerâmica vermelha no piso do quintal.
Na sala, com uma tampa de Bic levantava os tacos soltos para espiar o que se escondia embaixo: uma mosca morta, uma unha cortada, um grampo — pequenos achados arqueológicos, estudados com perícia através da lupa.
Deitado, a bochecha colada à madeira, sentindo no rosto a brisa fria que sopra ao rés do chão, espiava o vão escuro sob a cristaleira: a poeira formava tufos, matéria-prima da qual, acreditava, era feito o cobertor cinzento do mendigo da esquina. Tinha sua lógica: o homem miserável coberto pela manta de pó. Só não compreendia como a sujeira se transformava em tufo, o tufo em

cobertor, e o cobertor ia parar em volta do mendigo. Mais um mistério, entre tantos deste mundo.

No princípio, eram as trevas.

Sentado no meio-fio, cavoucava com um graveto as fendas entre os paralelepípedos, esperando encontrar petróleo, ossos de dinossauro, tesouros escondidos por piratas, ruínas de extintas civilizações. Enquanto a sorte não vinha, contentava-me em desenterrar tampinhas enferrujadas, cascos de caramujo, fichas telefônicas; divertia-me desalojando minhocas, formigas e tatus-bola.

Não respeitava as minhocas: mal saíam da terra, começavam a se debater feito loucas. Bicho aflito, mau exemplo.

Não respeitava as formigas: indecisas, iam e vinham; burras, demoravam séculos para entender que bastava contornar a barreira surgida no meio do caminho (meu cuspe) para chegar lá — aonde quer que estivessem indo.

Toda reverência aos tatus-bola.

Tocava-os de leve para vê-los se fechar em suas esféricas armaduras, depois os rolava para cá e para lá.

Um dia, talvez influenciado pela semelhança visual e fonética entre bolas e balas, tentei comer um deles. Minha mãe (n)o(s) salvou na última hora, tirando-o da minha boca e devolvendo-o à terra ainda intacto.

Não ficou registrado na crônica familiar se alguma vez,

longe da supervisão materna, eu e os tatus-b(a)ola chegamos às vias de fato.

Morávamos numa vila: primeiro eu, meu pai, minha mãe e minha irmã. Depois meu pai se mudou, minha mãe casou de novo e minha meia-irmã veio viver conosco. Tinha também a Vanda, empregada, que morava num quartinho no fundo do quintal.

Eram vinte sobrados geminados, dez de cada lado da rua. No andar de cima, três quartos e um banheiro; no de baixo, sala, sala de jantar, cozinha e lavabo. Lá atrás, o quintal, a área de serviço, o quartinho e o banheiro da Vanda. Na frente, a garagem e um pequeno jardim.

Nas vinte casas da vila viviam quinze crianças. O núcleo duro era composto por mim, minha irmã e minha meia-irmã; o Henrique e a Margarida, irmãos; o Rodrigo e a Giulia, irmãos; o Fábio Grande e o Fábio Pequeno — que por um bom tempo acreditei serem irmãos, também. Quando os conheci, pensei: nada pode ser mais lógico, se a família gosta de "Fábio", que batize logo assim todos os filhos; ao se encontrar um Fábio pela rua, já se sabe de onde é e basta usar "Grande", "Pequeno" — ou "Médio", caso houvesse um filho do meio — pra diferenciá-los. Fiquei bastante decepcionado ao descobrir, do alto dos meus três anos, que não só não eram irmãos como sequer tinham qualquer laço de parentesco.

Nada me causou mais estranhamento, na infância ou depois, do que visitar as casas dos meus vizinhos — primeiro e definitivo contato com a alteridade. As plantas dos sobrados eram idênticas, mas a ocupação variava: na casa do Henrique, por exemplo, a televisão estava onde deveria ficar a mesa de jantar, a mesa de jantar onde deveria estar o sofá, o quarto dele era onde, lá em casa, ficava o quarto dos meus pais e vice-versa. Sem falar na casa do Rodrigo, onde os pratos eram azuis. Como poderiam não saber que pratos *são* brancos?

Tinha pena dos outros, hereges, vivendo errado.

Dentro, nossa casa era toda branca, mas por fora era de uma tonalidade meio marrom, meio rosa. Um dia, perguntei à minha mãe que cor era aquela.

"Terracota."

Não gostei. Senti que nosso lar era de alguma forma conspurcado por uma cor com terra no nome.

Embora não tivesse escolhido a cor nem os móveis, os quadros ou tapetes, a casa era mais minha que de qualquer outra pessoa: só eu via os desenhos no piso do quintal, o que se escondia embaixo dos tacos, os tufos mágicos sob a cristaleira. Ali dentro, nenhum mal poderia me atingir.

Um dia, brincando no chão da sala com meus carrinhos, ouvi um homem dizer na TV que, no ano 2000, o mundo iria acabar.

"Pena", pensei, sem tirar os olhos dos Matchboxes, "não vou mais poder sair pra rua" — e continuei a tratar dos meus assuntos.

Não, não é verdade que a casa era "mais minha que de qualquer outra pessoa". Havia uma área fora do meu domínio: o quarto da Vanda, território independente, onde eu não tinha o direito de entrar.

Vez ou outra, pela porta entreaberta, sentia o cheiro forte de perfume e a via na cama, sob o lusco-fusco da televisão preto e branco, de bobes na cabeça, pintando as unhas dos pés e cantarolando a música da novela das seis, numa postura relaxada que não levava para fora dali.

Vanda vinha do interior de Minas Gerais e de dentro de um livro de Charles Dickens. Sem dinheiro para criá-la, sua mãe a dera, com sete anos, a uma conhecida. Ao recebê-la, a mulher perguntou o que a garotinha gostava de comer. Anotou tudo num papel. Mal a mãe virou as costas, no entanto, a fulana amassou a lista e, como uma vilã de folhetim, decretou: "A partir de hoje, você não vai mais nem sentir o cheiro dessas comidas!".

Vanda trabalhou lá até os quinze anos, quando recebeu a carta de uma prima com uma nota de cem cruzeiros, saiu de casa com a roupa do corpo e fugiu num ônibus para São Paulo.

Todas as vezes que eu ou minhas irmãs a importunávamos com nossas demandas de criança mimada, ela nos contava histórias da infância de Gata Borralheira, fazia-nos apertar seu nariz, quebrado por uma das filhas da "patroa" com um rolo de amassar pão e nos expulsava da cozinha: "Sai pra lá, peste, e me deixa acabar essa janta!".

Minha mãe não gostava que nos referíssemos a Vanda como "empregada", preferia "a moça que trabalha lá em casa". Eu estranhava: por que dizer "a moça que trabalha lá em casa", se a todas as moças que trabalhavam nas casas dos outros, os vizinhos chamavam "empregadas"?

* * *

Um dia, descobri que minha mãe trabalhava numa revista. Revistas, para mim, eram as da Turma da Mônica, que eu folheava avidamente, desde muito antes de aprender a ler. Minha mãe me explicou que a dela era diferente, uma revista para gente grande, mas que era feita no mesmo prédio que as da Mônica. Animado, imaginei pilhas de Cascão, Cebolinha, Mônica e Magali de graça. Pedi que me trouxesse algumas no dia seguinte. Não dava, ela me explicou. Infelizmente, não era dona da editora, apenas empregada.

Que revelação! Imaginei-a fazendo almoço e café numa enorme cozinha. Vislumbrei seu quarto, no fundo de um quintal. Teria ela, também, uma TV preto e branco? Pintaria as unhas, sentada na cama, de bobes na cabeça, cantarolando músicas da novela? Como seria sua vida, depois que saía de casa na Brasília branca e ia ser "a moça que trabalha lá na editora"? Que empresa incrível devia ser aquela, que se dava ao luxo de ter minha mãe como empregada.

Pai e mãe me beijavam, apagavam a luz: o mundo desaparecia. Como ter certeza de que voltaria a existir? De que os dois não sumiriam no breu? Que garantia tinha de que não seria levado pelos monstros que, vez ou outra, apareciam nos pesadelos — eu, que ainda não sabia o que eram monstros ou pesadelos?

Já havia atravessado outras noites, mas não tantas para sabê-las indubitavelmente transponíveis. (A experiência, para mim, ainda estava em fase experimental.) Para cruzar as trevas, precisava de garantias, lembretes de outras viagens.

Ouvir uma história conhecida: o mesmo enredo e, apesar de todas as dificuldades enfrentadas pelo herói, o mesmo desfecho nos esperando, lá no fim. Seu êxito repetido me sugeria a continuidade das coisas. Assim como ele, eu já tinha enfrentado o iminente fim do mundo e depois acordado — tudo haveria de dar certo.

Música de ninar: os barulhos, mesma matéria-prima do susto, agora domesticados. Ritmo: fiador da continuidade, um, dois, manhã, noite, três, quatro, noite, manhã. Rima: parentesco entre palavras; balão, mão; ladrilhar, passar; preta, careta.

Nada me deixava mais tranquilo, contudo, do que os sons da máquina de escrever vindos do quarto ao lado. Era meu pai, escritor, que trabalhava depois que todos haviam ido dormir. O batuque no teclado, o ronco grave do rolo girando com o papel e a sineta do carro tilintando ao ser devolvido à posição inicial — plim! — me garantiam a presença de um adulto, ali ao lado: se não ao alcance das mãos, ao menos dos ouvidos. O ritmo caótico, mas contínuo — como chuva no telhado —, era ainda melhor do que a música de ninar, cadenciada, pois sugeria que mesmo em meio à confusão poderia haver harmonia. Sob esse cafuné auditivo o mundo desaparecia, sem violência, depois voltava a existir, quando eu menos esperasse, iluminado: plim!

Primeira lição do incômodo: o calcanhar raspando na parte de trás do tênis e, pouco a pouco, empurrando a meia para baixo. Eu tentava andar mais devagar, tentava pisar reto, caminhar feito um robô, mas não adiantava: lá ia a meia em sua inexorável jornada rumo à planta do pé.

Caso estivesse ocupado demais para tomar as devidas providências, fugindo num pega-pega, num esconde-esconde ou num duro ou mole, apenas me agachava num canto, enfiava dois dedos dentro do tênis e, do jeito que desse — se desse —, puxava a meia um pouco pra cima. Sabia que era uma ação paliativa, que muito em breve ela estaria toda embolada lá na frente e eu seria obrigado a seguir o protocolo: sentar-me num banco, tirar os tênis, as meias, vesti-las e me calçar novamente. Terminada a função, voltava ao pega-pega, ao esconde-esconde, ao duro ou mole, gozando por alguns minutos da alegria do dever cumprido, como se tivesse acabado de tomar banho, fazer a lição de casa ou comer um prato de legumes. Dez passos adiante, contudo, mastigada pelo insaciável maxilar do tênis no calcanhar, lá ia a meia descendo outra vez: lá ia eu, pequeno Sísifo, ladeira abaixo, ladeira acima.

Primeiras lições do pudor.
Eu não queria aquele cabelo cuia, cortado por minha mãe, lá no quintal de casa. Queria um cabelo curto, espetadinho em cima, ou que subisse num leve topete e depois fosse para trás, como o dos heróis nos filmes americanos.
Eu não queria aquela sacola de palha na qual carregava meu material escolar e os últimos eflúvios das aspirações hippies dos meus pais. Preferia uma mochila emborrachada, com as da maioria dos meus colegas.
Àquela altura, contudo, não percebia que o cabelo e a mochila eram contingências perfeitamente contornáveis, bastaria pedir para cortá-lo ou para trocá-la: eu *era* com aquele cabelo, eu *era* com aquela sacola.

Eu e minha irmã na banheira. Com a mão esquerda, nossa mãe regulava a torneira quente, com a direita, misturava a água. Meu pai sentou-se na borda, os dois abriram sorrisos e minha mãe disse que tinham uma novidade: a partir da semana que vem ele iria morar numa outra casa.

Minha mãe falou que não era para nos preocuparmos, mas eu não estava preocupado, estava curioso: por quê? Meu pai falou que era muito normal, vários pais moravam em casas separadas. O pai do Fábio Grande, por exemplo. O pai da Marina, por exemplo. O pai do Felipe, por exemplo. "Não muda nada", ela frisou, "e ó que legal: de agora em diante, além dessa casa vocês vão ter outra, com outro quarto, outra cama, *tudo igual, igualzinho* aqui. Não é bacana?"

Fiquei embasbacado: como podia ser *tudo igual, igualzinho*? Seria uma rua inteira idêntica, com todas as casas dos vizinhos e plantas e paralelepípedos exatamente nos mesmos lugares e os mesmos tatus-bola e tampinhas de garrafa enterradas entre eles? Mas por que haveria de existir essa réplica da nossa vila em outro lugar? Quem seriam as pessoas a habitar essa realidade paralela? Pessoas idênticas a nós ou pessoas diferentes que viveriam com as mesmas roupas, entre os mesmos objetos? E se elas já estavam lá, como iríamos aparecer, assim, do nada?

Vai saber. O mundo tinha dessas coisas. Na nossa escola estudavam Bianca e Beatriz, as gêmeas. Quem sabe fosse assim mesmo: de tudo, havia dois? Ou talvez meu pai tivesse construído uma cópia da nossa casa, numa rua diferente, porque era daquela forma que ele gostava de morar? Fazia sentido. Eu também, se perguntassem como gostaria que fosse minha casa, diria que assim mesmo — mas com um tobogã da janela do meu quarto para uma piscina aquecida no quintal.

Não. Ainda que ele tivesse construído a cópia, não podia ser *igual, igualzinho*. Seria uma casa nova, os tacos soltos estariam colados, a poeira embaixo do móvel não teria tido tempo de se transformar em tufos; e como os pedreiros haveriam disposto os cacos de cerâmica no chão do quintal de modo a formar os desenhos, se só eu os conhecia: o homem de chapéu e cachimbo, o elefante de três pernas, o navio?

Mesmo sem entender, aceitei. Já havia visto coisas incríveis, durante meus parcos anos de vida: ímãs arrastando pregos, uma fogueira maior do que um carro, meu pai tirando moedas do ouvido, uma mulher de maiô, no circo, sendo serrada em quatro dentro de uma caixa e reaparecendo inteirinha, depois; se tinha algo de que não poderia ser acusado é de ceticismo. Uma casa igual à nossa, afinal, nem era tão estranho assim. Além do mais, por que eles mentiriam pra gente?

Bom menino

O sol matinal entrava pela janela basculante, condensando o vapor nos azulejos e dissipando pouco a pouco o cheiro de xampu. Com as calças arriadas até as canelas, prestes a começar meu xixi, eu mirava no penico da Turma da Mônica. Ao lado, enrolada numa toalha diante da pia, minha mãe escovava os dentes. Eu gostava muito de observar minha mãe escovando os dentes pela manhã: sua mão ia e vinha, rápida e precisa, de cima para baixo, depois fazia movimentos circulares, sem espirrar uma única gota de espuma. Tão diferente de mim, que só sabia escovar na horizontal e salpicava de branco a louça da pia, as torneiras, lambuzava o rosto inteiro. Minha mãe era tão hábil que conseguia até escovar os dentes e andar pela casa ao mesmo tempo — uma de suas façanhas que eu mais admirava. Com a mão livre, era capaz de exercer outras atividades, como tirar as roupas sujas do cesto, pentear o cabelo ou guardar uma toalha no armário. Depois, voltava para a pia e cuspia com elegância; a espuma saía da sua boca unida e silenciosa, como uma bolinha de pingue-pongue. Eu imaginava que a bola branca caía bem no meio do ralo, sem nem esbarrar nas bordas, mas sendo esse um dos muitos eventos que aconteciam a mais de um metro de altura, tinha de resignar-me à especulação.

Assistir àquele pequeno ritual de controle e delicadeza, no início de cada dia, ajudava a me acalmar. O mundo era vasto e assombroso, mas uma mulher capaz de escovar os dentes, andar pela casa e ainda exercer outras atividades certamente tinha condições de me proteger de todos os perigos, de modo que agradá-la e receber em troca seu sorriso era o que mais me importava: bastava ver seus lábios se movendo, seus olhos se comprimindo, e a paz era instaurada.

Estava tranquilo, portanto, ouvindo o som da escovação, sentindo o cheiro de xampu no ar, prestes a começar meu xixi, quando surgiu a ideia. Chamar de "ideia" é exagero, era menos que isso, apenas um beliscão da curiosidade na pança da harmonia: e se eu fizesse o xixi fora do penico? Como seria o som no chão de azulejos? Seria diferente do som grave do jato no plástico, que me lembrava um motorzinho, brrrrrrrrr? Diferente ainda do barulho que faria se mirasse em cima do tapete colorido? E se ficasse alternando entre o penico, o azulejo e o tapete: poderia compor uma música, como naqueles dias em que a gente batucava com colheres em latas e garrafas na escola?

À medida que ia percebendo as possibilidades lúdicas do xixi fora do penico, ficava mais animado: imaginava o líquido espraiando-se pelo chão, alterando sutilmente o reflexo da luz na superfície dos azulejos; pensava que o tapete encharcado iria mudar de cor e que se quisesse poderia pintar só metade dele, ou fazer riscos em zigue-zague, como meu pai havia me mostrado na areia da praia, nas últimas férias. Quem sabe eu até saísse andando pela casa fazendo xixi em tudo? Xixi no chão de tacos, xixi no revisteiro, xixi pelas paredes, xixi escada abaixo — e, embora soubesse que meus xixis eram pouco volumosos (suficientes apenas para criar uma lâmina amarelada sobre o desenho da Turma da Mônica), a imagem que me vinha à cabeça era de uma potência infinita, um jorro ininterrupto capaz de encharcar o banheiro, afogar a casa, inundar o mundo. Examinei o chão, o tapete, a parede, espiei minha mãe, que seguia escovando os dentes, e só então percebi, por baixo da empolgação, uma cosquinha de agonia. Algo me dizia que sair fazendo xixi sem rumo poderia deixá-la brava e aflita — e deixar minha mãe brava ou aflita era o que eu mais temia. Antes de pôr em prática os projetos que me pareciam heterodoxos, costumava me perguntar: será que a farei sofrer? Será que ela brigará comigo? Ou, do contrário, me sorrirá, satisfeita? Queria desistir, mas algo na ansiedade parecia atrair-me: sugeria haver mais coisas a se buscar nesse lugar vasto e assombroso além da calma e da harmonia do sorriso da mamãe.

O xixi já estava quase saindo, podia até sentir o alívio chegando, quando a campainha tocou. No susto, suspendi a missão. (Eu me orgulhava bastante deste autocontrole: mesmo se já estivesse no meio do xixi, poderia interrompê-lo, momentaneamente. Não chegava aos pés da capacidade de escovar os dentes e andar pela casa ao mesmo tempo, mas me divertia e várias vezes passava um tempo brincando com um jato intermitente no penico: segura, solta, segura, solta, brrrrr, silêncio, brrrrr, silêncio, e assim me sentia no domínio do meu corpo e senhor da minha vida.) Ainda escovando os dentes, minha mãe foi para o andar de baixo atender a porta, deixando-me só naquela imensidão de azulejos, com o pinto na mão e um dilema na cabeça: sorriso apaziguador ou frio na barriga?

Provavelmente, essa batalha já vinha sendo travada havia tempos, o anjinho e o diabinho me soprando desde a vida pré--uterina suas seduções e reproches, quem sabe influenciando a intensidade dos chutes no líquido amniótico ou os decibéis do choro que antecedia as mamadas, mas eram apenas as preliminares no campeonato da infância, cuja final, senhoras e senhores, se daria em instantes, e, dependendo do resultado, me classificaria em posições opostas para a grande competição da vida adulta. Caso ouvisse os impulsos aventureiros e ignorasse os limites do peniquinho, talvez me atrevesse a saltar a rampa grande de skate aos nove, seria atacante e não goleiro no primário; perderia a virgindade antes do primeiro colegial, quem sabe fosse de carona até a Patagônia aos vinte? Se, no entanto, dedicasse meus parcos mililitros à Turma da Mônica e ao sorriso da mamãe, deixaria a rampa grande para os maiores e me contentaria em ir e vir com meu skate pela garagem, toparia ser goleiro nos campeonatos já que ninguém o faria e o professor solicitaria um voluntário; perderia a virgindade só nos estertores da adolescência e, dali em diante, preferiria os ácaros da poltrona à poeira da estrada.

É evidente que naquela manhã, com as calças na canela e o coração na garganta, eu não sabia de nada disso. Só intuía pelo forte frio na barriga que algo importante estava para acontecer. Ou não: pois assim que ouvi os passos no corredor, acompanhados pelo ronronar quase inaudível da escova indo e vindo nos dentes da minha mãe, sucumbi à promessa do sorriso e comecei a despejar no peniquinho os parcos mililitros do meu xixi, tomando cuidado para que nem uma única gota pingasse fora.

Ela terminou de escovar os dentes, cuspiu elegantemente no meio da pia, olhou para o penico, onde a Turma da Mônica nos observava sob a fina lâmina amarela, fez um carinho mentolado em minha cabeça e abriu o sorriso. Não havia nada que me ameaçasse; afinal, eu era um bom menino, eu obedecia às regras e recebia a recompensa — a ordem e a harmonia voltaram a reinar sobre a terra e o espírito de Deus a pairar sobre a face das águas.

Mau menino

Ignoro se peguei a faca na cozinha e fui até a garagem já com a ideia na cabeça. Talvez, sabe-se lá por quê, estivesse perambulando pela casa com a faca na mão, fui parar na garagem e, por curiosidade — como quem enfia um grampo na tomada ou bolas de gude num escapamento —, resolvi golpear a parede. Sei é que, quando dei por mim, estava ali, admirando o pequeno risco branco, a reentrância de massa corrida recém-surgida na grande tela terracota. Um segundo antes ele não existia, agora parecia brilhar como um único Starfix na imensidão de um quarto escuro.

Senti-me orgulhoso: ao chegar ao mundo, já o havia encontrado pronto, cabia a mim somente descobrir do que era feito e como funcionava, olhando embaixo dos vãos, levantando os tacos, cavoucando a terra entre os paralelepípedos. Desenhos em papéis, colagens de sucata ou as esculturas de argila que fazia na escola não eram uma intervenção no mundo — papéis, sucata e argila não *eram* o mundo, eram *coisas* do mundo. Parede era mundo, casa era mundo, e a satisfação por ter impresso nele minha primeira marca foi tanta que não demorei a deixar a segunda, a terceira, a quarta, a décima sétima, a trigésima nona e só quando cheguei esbaforido ao canto da garagem percebi o estrago: uma faixa de três metros de risquinhos brancos, a cinquenta centímetros do chão; uma Via Láctea de destruição percorrendo, de ponta a ponta, a frente da nossa casa. Algo me dizia que, quando minha mãe chegasse do trabalho e o farol da Brasília iluminasse aquela lambança, meu frenesi estético não seria capaz de atenuar sua ira: o mundo havia sido violado por mim, era preciso repará-lo.

Corri até meu quarto e peguei o estojo de canetinhas. Tentei pintar as reentrâncias com o vermelho, o marrom, o rosa, mas nenhuma das cores batia. Experimentei tons sobrepostos, vermelho com laranja, amarelo com roxo, rosa com cinza: nada, porém, chegava perto da tal terracota. Pior: se antes o que se via ali era uma Via Láctea, agora contemplava uma nebulosa, uma extensa mancha multicolor serpenteando pela parede.

Voltei ao quarto, peguei o tubo de Pritt. Tentei colar de volta as casquinhas de tinta caídas no chão, mas elas se esfarelavam ao toque, a cola lambuzava a parede e, como se não bastasse, as marcas das minhas mãos ficaram impressas junto aos riscos feitos à faca, como uma assinatura. A desgraça era inevitável. Sem opção, enterrei a faca no jardim e parti para a clandestinidade.

A clandestinidade era um canto no lavabo, entre a pia e a parede. A porta, quando aberta, projetava uma sombra sobre o vão, deixando-o ainda mais protegido. Já havia recorrido àquele refúgio em vários esconde-escondes e, vez por outra, fugindo do banho: não seria agora, no sufoco, que ele me deixaria na mão.

Apesar do frio e da umidade, estar ali era prazeroso: eu não fazia mais parte do mundo, estava fora dele, observando-o pelas coxias, invisível e onisciente. Assim permaneci por algumas horas, o tique-taque de uma goteira marcando a passagem do tempo.

Anoiteceu. Ouvi o carro da minha mãe chegando à garagem, o motor sendo desligado, a porta batendo, mas não escutei o som habitual da chave no trinco ou os passos sala adentro. Como eu temia, ela agora devia estar lá fora, agachada diante da parede, aterrorizada com meu ato de vandalismo, meu crime de lesa-pátria (lesa-mátria?). Primeiro, gritou meu nome. Depois, chamou a Vanda. "Vou ter que repintar a casa inteira! Vai custar uma fortuna! Onde se enfiou esse menino? Vai ver só!"

Eu ia "ver só", mas só se, antes, elas me vissem — o que nunca aconteceria, pois ao escutar a voz irada da minha mãe, decidi levar a cabo a ideia que vinha ruminando desde que compreendera a dimensão da minha obra na parede: permaneceria escondido para sempre.

O.k., eu sabia que "para sempre" seria impossível, em dois ou três anos eu não caberia mais entre a pia e a parede, mas até lá já haveria encontrado uma forma de reparar meu erro, fugir de casa ou, ao menos, me mudar definitivamente para um socavão.

Pensando bem, não era assim tão ruim. Beberia água da pia quando quisesse, me alimentaria das maçãs e bananas roubadas da fruteira da cozinha, de madrugada. (Abrir a geladeira estava fora de cogitação: a porta rangia, as garrafas se chocavam umas contra as outras, eu acabaria acordando alguém.) Se estivesse disposto a correr riscos, mais valia me esgueirar até o quarto e resgatar uns Playmobils para brincar nos 24 ou 36 meses seguintes.

Enquanto divagava sobre meu futuro na clandestinidade, as duas seguiam me procurando pela casa, me chamando vez após outra — e foi nas vozes de minhas perseguidoras que, surpreendentemente, vislumbrei uma possível salvação. Cada vez que repetiam meu nome, a braveza ia minguando um pouquinho, dando lugar à preocupação: quem sabe, quando o desespero trouxesse para o seu lado a última gota de raiva, eu poderia surgir em segurança? Não seria a alegria por me verem vivo um habeas corpus, capaz de fazê-las esquecer os eventos relativos à garagem? Impossível ter certeza, mas era a única chance: Vanda começou a ligar para os vizinhos, minha mãe foi me procurar na rua e decidi que, quando ela voltasse, faria a dramática aparição.

Minutos mais tarde, minha mãe entrou pela sala quase chorando: "Não tá lá! Ninguém sabe. Ninguém viu. Deus do céu!". Era chegado o momento. Respirei fundo, deixei as pupilas se acostumarem à luz vinda de fora e estava quase saindo do banheiro quando uma palavra pronunciada por minha mãe me empurrou de volta ao esconderijo: talvez eu tivesse superestimado seu amor por mim, talvez tivesse menosprezado seu apreço pela parede da garagem ou, quem sabe, os dois juntos, o fato é que — eu havia ouvido claramente — ela estava prestes a chamar a "polícia".

Eu conhecia a polícia pela TV: eles tinham cachorros treinados, lanternas, óculos para enxergar no escuro, era evidente que me encontrariam ali, depois achariam a faca enterrada no jardim, me poriam algemas e me levariam para a cadeia. Melhor me entregar antes que chegassem. Dizer que estava dormindo no lavabo, isso, que eu adorava dormir naquele cantinho, bem fresco, que não tinha ouvido ninguém me chamar. Quanto à parede da garagem: que que tem? Deixa eu ver... Nossa, que que foi isso?! Será que foi um gato, com as unhas? Um gato grande consegue, ué, ou dois gatos, um em cima do outro, sabia que eles fazem isso quando querem arranhar mais alto? Fazem sim, eu juro, eu já vi mil vezes!

— Mãe?

Alô, Bozo?

Eu e o Henrique estávamos deitados na cama dos pais dele, os cotovelos enterrados no grande colchão d'água, os queixos apoiados nas mãos, os olhos vidrados no programa do Bozo, em que três cavalinhos mecânicos disputavam um páreo numa pista em miniatura. Pelo telefone, crianças faziam apostas e o vencedor levaria uma bicicleta BMX, da Monark.

O Henrique me perguntou quem iria ganhar: o preto, o branco ou o malhado? Ele não queria saber quem eu achava que iria ganhar, mas qual dos três de fato chegaria em primeiro, como se eu, por ser um ano mais velho que ele, tivesse a chave de todos os mistérios deste mundo. Não me sentindo exatamente incomodado com aquela reverência, respondi, resoluto e blasé:

— O malhado, óbvio.

Para minha sorte — e maior sorte ainda de um tal Arthur, do Jardim Bonfiglioli, São Paulo, que apostara pelo telefone —, o malhado chegou em primeiro. Impressionado com minha habilidade divinatória, Henrique decidiu que tentaríamos a sorte na próxima rodada:

— Liga! Liga! Liga pro Bozo! Liga! — ele repetia, apontando o telefone cinza na mesa de cabeceira.

Hesitei. Não se tratava de um procedimento simples, uma ligação. Era preciso decorar o número, girar muitas e muitas vezes aquele pesado disco de plástico, com cuidado para não escapar do dedo bem no final, mandando para a cucuia todo o esforço anterior; depois, ainda tinha que falar com adultos mal-humorados, nem sempre pacientes e dispostos a compreender as solicitações balbuciantes de uma criança — se eu já pensava duas vezes antes de ligar para o trabalho da minha mãe e pedir que ela passasse no McDonald's na volta para casa, imagina só para o maior palhaço da Terra? No entanto, como o Henrique não parava de insistir e eu não queria perder a pose, acabei discando o número que aparecia na TV: 236-0873.

Na primeira vez, deu ocupado. Na segunda, na terceira e na quarta, idem. Na quinta, chamou. Minha mão suava só de pensar em falar com o Bozo, ao vivo, e em ter minha voz esganiçada difundida para os quatro cantos do país. E se a Vovó Mafalda tirasse um sarro da minha cara? E se Zecão, Lili ou Macarrão imitassem meus S sibilantes? Foi com alívio, portanto, que vi o programa terminar e estava prestes a desligar, a dizer "que pena, Henrique, não deu tempo", quando uma mulher atendeu. Mal respondi seu alô, o Henrique começou a puxar minha camiseta e perguntar o que estava acontecendo, se era o Bozo, se não era, com quem eu estava falando. Tampei o bocal e expliquei que uma mulher havia atendido.

— É a Vovó Mafalda? Pergunta se é a Vovó Mafalda!

A mulher disse que não, não era a Vovó Mafalda, era só alguém "da produção", e depois de alguns segundos de silêncio, durante os quais ficamos matutando o que significaria alguém "da produção", Henrique tomou a dianteira:

— Pede pra falar com o Bozo! Chama o Bozo!

Fiquei nervoso. Pensei em fazer uso de minhas prerrogativas de mais velho e explicar ao meu vizinho que a vida não era assim. Uma coisa era ligar para participar do programa, outra completamente diferente era ligar fora do expediente e pedir para falar com o Bozo. O Bozo não era como as nossas mães, para quem podíamos telefonar a qualquer hora do dia ou da noite pedindo quarteirões com queijo e sundaes com calda de caramelo, mas como eu não queria parecer covarde e nós já havíamos telefonado...

— Eu queria falar com o Bozo, por favor.

A mulher "da produção" disse que o Bozo não podia falar. Claro, eu sabia. O programa tinha acabado, ele já estava "no camarim" — e por mais que eu tampouco fizesse ideia do que fosse um "camarim", entendi que era um lugar longe daquele telefone, onde ele não conseguiria conversar conosco. Houve, porém, um murmúrio, ela pediu "um instantinho" e nos abandonou ali, pendurados por um fio preto e espiralado num abismo de expectativa. Até que a voz inconfundível surgiu do outro lado da linha:

— Alô, amiguinho! Aqui é o Bozo!

Foi eu dizer "Alô, Bozo" pro Henrique começar a pular e a correr pelo quarto, gritando "O Bozo! É o Bozo! O Bozo de verdade! Caramba! O Bozo!". Eu também estava eufórico, o coração acelerado, as mãos suadas, mas a alegria durou pouco e os sorrisos palermas foram sugados de nossos rostos assim que ele nos perguntou:

— Então, amiguinho, o que você quer?

Bem, não tínhamos pensado nisso. O plano era apostar nos cavalinhos, mas o programa terminara, agora o Bozo estava na linha, algo precisava ser dito e não sabíamos o quê. Henrique levou as mãos à cabeça, aflito. Tentei ganhar tempo:

— Eu vi o programa... Eu, eu torci pelo cavalo malhado. Ele ganhou!

29

Bozo agradeceu pela audiência, elogiou a performance do malhado, foi simpático o tempo todo, mas percebi por seu tom de voz que esperava alguma coisa de nossa chamada. Se minha mãe já dizia estar ocupada quando eu ligava para o trabalho dela, imagina só o artista mais importante da televisão.

Eu olhava pro Henrique, o Henrique olhava pra mim e provavelmente continuaríamos nesse angustiante pingue-pongue mental até o Bozo desligar, se a Margarida, irmã do Henrique, não tivesse entrado no quarto.

— O Antonio tá falando com o Bozo! Ele tá falando com o Bozo! — disse meu vizinho, e por um instante nossa glória prevaleceu sobre a aflição.

Eu era um ano mais novo que a Margarida e portanto a tratava com a mesma reverência que o Henrique a mim. Às vezes, quando a chamávamos para brincar de esconde-esconde ou pega-pega, ela nem sequer respondia, apenas levantava os olhos de sua pasta de papéis de carta, dava um bocejo entediado e voltava, em silêncio, ao universo kitsch de tons pastel. Agora, contudo, a situação era diferente, tínhamos o Bozo na linha e o poder em nossas mãos: a menina perdeu a pose, soltou três guinchos e só não deu o quarto porque o Henrique a segurou pelos ombros, explicando a urgência: o que deveríamos dizer? Margarida, dando uma mostra de sua maturidade, soltou de bate-pronto:

— Pede uma bicicleta!

Era um movimento ousado, mas, eu não podia negar, preciso. Para isso havíamos ligado, afinal de contas, por isso queríamos participar da corrida de cavalinhos.

— Bozo, eu quero uma bicicleta.

Dando mais mostras de seu desembaraço nas coisas da vida, Margarida me soprou os detalhes:

— Uma BMX, da Monark, vermelha.

Repeti tudo, menos a cor: vai que ele só tinha azul ou verde? Não seria por esse detalhe que abriríamos mão do brinde. Bozo pareceu constrangido. Limpou a garganta. Explicou — sempre me chamando de "amiguinho" — que não era assim que funcionava o negócio, você tinha que participar de alguma brincadeira e vencê-la para ganhar os prêmios. Fez então uma pausa, cochichou com alguém, pediu um instante e sumiu. Estávamos mais uma vez pendurados no abismo da agonia; os ventos da expectativa nos balançando entre o triunfo e o fracasso, congelando nossos estômagos. Quando voltou, Bozo soltou, exultante:

— Hoje é seu dia de sorte, amiguinho! Temos uma bicicleta sobrando!

Margarida corria em círculos, soltando um uivo contínuo, Henrique dava saltos em cima da cama, aterrissando de barriga sobre o colchão d'água, eu pulava no mesmo lugar, repetindo "Bicicleta! Bicicleta! Bicicleta!". A festa, contudo, terminou mais uma vez abruptamente, assim que veio a próxima pergunta:

— Amiguinho, qual é o seu endereço?

Não é que não soubéssemos *nosso* endereço: sequer tínhamos uma ideia precisa do que fosse *um* endereço. Henrique disse que já ouvira falar algo sobre "Juscelino Kubitschek", mas eu sabia que a Juscelino era um lugar ali perto (uma avenida? Uma praça?) por onde a gente passava quando ia para a casa da minha avó, não a nossa rua. Margarida falou que estávamos "no Itaim, a gente mora no Itaim!", e como eu também já tinha ouvido essa palavra lá em casa, várias vezes, disse ao Bozo, cheio de esperança, que a gente morava no Itaim.

— Bibi ou Paulista, amiguinho?

Ah, o mundo! Quando você acha que está começando a dominá-lo, ele te passa uma rasteira. Bibi ou Paulista? Quantas infinitas possibilidades haveria por trás daquelas misteriosas palavras?

Margarida saiu para a rua em desabalada carreira, atrás de um adulto, enquanto eu e o Henrique debatíamos. Ele pediu para eu dizer que a casa dele era azul, era a única casa azul da vila, eu falei isso pro Bozo, mas o palhaço me explicou que não adiantava muito saber a cor da casa, sem saber a rua nem o bairro. Eu mencionei o supermercado Barateiro, ali perto, mas foi só por desencargo de consciência: sabia que a informação era tão ou mais vaga do que a cor da casa do meu amigo. Ouvimos Margarida correndo de volta, na escada, mas a esperança durou pouco: a empregada tinha ido ao açougue e não havia nenhum adulto lá fora. Bozo disse que, nesse caso, infelizmente, não teria como mandar a bicicleta, mas sugeriu que continuássemos assistindo ao seu programa e tentássemos ligar de novo no dia seguinte: quem sabe não participaríamos da corrida de cavalos ou da batalha naval e ganharíamos algum prêmio?

— Até mais, amiguinho!

Depois do jantar, eu e o Henrique nos encontramos na rua, os dois de banho tomado, ele com o cabelo lambido para trás e o meu, tigela, penteado para o lado. Sentamos no meio-fio, em frente à casa dele. Com um graveto, comecei a desenterrar uma tampa de garrafa entre os paralelepípedos.

— A nossa rua chama Dona Alice — falei, sem tirar os olhos do chão. — A minha casa é a número 14, a sua é a 16.

— É. E Itaim é o nome do bairro — disse ele. — Itaim Bi-bi. — Depois repetiu: — Bi-bi — como se não acreditasse que aquelas duas sílabas aparentemente inofensivas pudessem ter uma parcela de culpa em nossa infelicidade.

Ficamos um tempo quietos. Raspei a tampinha na guia, para descobrir a marca por trás da terra e da ferrugem — Pepsi — e então ele me perguntou se eu sabia o que era um bairro.

— Todo mundo que mora perto, alguma coisa assim. Minha mãe explicou, mas eu não entendi direito. Devolvi a tampinha à terra e a afundei com o calcanhar.

Passamos boa parte das tardes daquele ano no quarto da mãe do Henrique, de bruços, no grande colchão d'água, os olhos vidrados na TV e as mãos no telefone, mas só deu ocupado.

Saturno × Mercúrio

O quarto escuro, o casulo de cobertas, a planta do pé deslizando pelos lençóis, semiconsciência e nenhuma demanda: perfeição quase uterina. Então vinha um adulto abrir a janela, dizendo "olha só, Antonio, que dia lindo, tá na hora de acordar", como se palavras doces pudessem edulcorar o fato de estarem me expulsando do Éden horizontal e me jogando no Purgatório vertical, onde a vontade de comer brigadeiro seria solapada pela obrigação de provar espinafre, meu espaço no tanque de areia teria que ser disputado no corpo a corpo com outras crianças — algumas violentas, até, que não se furtariam a morder e beliscar para garantir as partes que lhes cabiam naquele minifúndio —, as professoras ficariam perguntando quantas perninhas tem o E, quantas corcovas tem o M, e a única corcova que importava — a minha — teria que ser levada de lá pra cá por frágeis perninhas, duas apenas, sob a incessante gravidade de 9,8 m/s^2.

Diante desses e de todos os outros inconvenientes da vigília, não demorou para que eu descobrisse uma maneira de adiar o mundo, um salvo-conduto para permanecer boiando na irrealidade amniótica de minhas cobertas. Toda manhã, à voz adulta e ao primeiro raio de sol a entrar pela janela, me virava de um lado pro outro na cama: não estava fugindo da luz, mas testando o corpo, na esperança de encontrar, misturada às brumas do sono, uma pontinha de febre, um começo de gripe, qualquer mal-estar que me permitisse pronunciar, com um langor calculado e aflito: "Ai, tô me sentindo mal...".

Antes de me proclamar incapacitado para as exigências do dia, no entanto, fazia-se necessário conferir se havia algum sintoma verdadeiro ou se eram só fumos da sonolência a amolecer os músculos e o entusiasmo, pois o que saísse da boca teria que ser provado pelas axilas, sob o crivo imparcial do termômetro. Quantas manhãs não fiquei ali deitado, grunhindo, fazendo cara de farrapo humano, para acabar ouvindo as cinco palavras mais frustrantes da infância: "Trinta e seis e meio".

Após algumas tentativas malogradas, aprendi que havia enfermidades mais fraudáveis que outras e passei a optar por aquelas que não podiam ser delatadas pelo inclemente mercúrio: enjoo, dor de barriga, dor de garganta ou mesmo a alegação de algo difícil de definir, mas fácil de simular, um vago e agudo "mal-estar".

Claro que, para tais blefes, era preciso ter cara de pau e arte na encenação, coisa que nem sempre meu recém-adquirido superego — ainda não devidamente lasseado pelo uso — permitia. Em algumas manhãs, porém, a melancolia vencia o pudor, eu mandava a autocrítica catar coquinhos e executava toda a via--crúcis de lamúrias e tosses forçadas, caretas, contorções, uma ida cambaleante até o banheiro e o pedido "por favor, por favor" para ficar em casa.

Vez ou outra, para minha surpresa, funcionava. Minha mãe, não sei se por comprar a mentira ou por preguiça de investigá-la, me deixava ali, fechava a janela, ia pro trabalho. Eu cobria a cabeça com o cobertor, aproveitava aquela rabeira de cansaço com um prazer subversivo e dormia o sono dos injustos — do qual acordava, uma hora depois, remoído pela culpa. Cerrava os olhos, tentava adormecer de novo, mas não dava, era preciso sair da cama, tomar banho, vestir uma roupa, descer para a sala. Pensava nas outras crianças, na escola, correndo no pátio. Pensava nas professoras, no dia seguinte, perguntando por que é que eu tinha faltado. Pensava na minha mãe, no trabalho, preocupada, e decidia que o mínimo que eu podia fazer, em respeito a todos, era me comportar realmente como um enfermo.

Enrolava-me numa manta de lã, me sentava na frente da TV com uma xícara de leite condensado e Nescau e passava o dia por ali, vendo carros explodirem, heróis Transformers lutarem contra macacos alienígenas, uma senhorinha de cabelo acaju ensinando donas de casa a fazer estrogonofe com ricota em vez de creme de leite — "seu marido nem vai notar a diferença".

Quando levantava para ir ao banheiro, mesmo que a Vanda estivesse lá na cozinha — de onde vinham os reconfortantes sons da água na pia, das louças sendo colocadas nos armários e o intermitente apito da panela de pressão —, eu caminhava lentamente, arrastava os pés, não tirava a manta nem por um segundo, tentando convencer a mim mesmo de que merecia aquele autodecretado feriado. Só de noite, quando minha mãe voltava do trabalho, eu me autorizava alguma melhora. "Passou o dia todo aí, enrolado no cobertor", confirmaria Vanda. "Mas agora já tô melhor", eu diria, recebendo um sorriso e um afago.

Na manhã seguinte, faria um esforço enorme para sair da cama antes que os pensamentos transgressores se formassem na minha cabeça e se espalhassem pelo corpo. Na escola, a professora perguntaria o porquê da falta. Eu diria que estava doente, nada de mais, só um mal-estar. Então sairia correndo para o tanque de areia, faria um castelo, cavaria um buraco e deixaria enterrados os últimos resquícios de culpa.

Injustiça

Estava cavando um buraco quando reparei no Fábio Grande: com uma bacia de plástico, ele tirava areia do tanque e ia enchendo um caixote de madeira, ao lado. Parei de cavar e fiquei observando. Até então, para mim, tanque era buraco ou castelo. Não sabia que podia tirar areia dele, nem que era possível, usando uma bacia, remanejar um volume tão grande — o caixote cheio era quase como um tanque de areia paralelo. Fui até ele, empolgado:

— Que que cê tá fazendo?! Que que cê tá fazendo?!

Fábio Grande me olhou com descaso:

— Cê vai ver.

Ofereci ajuda, tentei pegar um pouco de areia com as mãos e jogar no caixote, ele recusou:

— Não é assim que faz.

Magoado, voltei ao meu buraco, mas a curiosidade era maior do que o orgulho: não tirava os olhos do caixote, pensando numa maneira de ser aceito na brincadeira. Depois de uns minutos, Fábio Grande deu o trabalho por terminado. Pôs a bacia no chão, esfregou as mãos para tirar a areia, me deu uma olhada de esguelha, só pra confirmar que seu público estava atento, sentou em cima do caixote e anunciou, orgulhoso, a quem pudesse interessar:

— É um trem.

Caramba, um trem.

— Vagão ou locomotiva?

Ele não tinha pensado nisso. Hesitou.

— Locomotiva, claro.

Era sensacional. A bacia, o caixote, agora uma locomotiva: coisa de gênio. E eu só tinha aquele buraquinho? Mandei a vaidade às favas:

— Posso brincar também?

— Não.

— Por que não?

— Porque o trem é meu.

Dizendo isso, Fábio Grande espalhou a bunda e esticou as pernas sobre o caixote, de modo a não deixar nem um cantinho para um segundo passageiro.

— Nem parece um trem.

— Não, é?

Ele sorriu com o canto da boca, começou a chacoalhar o corpo e fazer piuííí, piuííí, piuííí. Eu queria andar no trem. Eu queria muito andar no trem do Fábio Grande. O mundo era só trem, trem, trem, trem, trem: empurrei Fábio Grande para fora do caixote e me sentei em seu lugar. Fiz piuííí, piuííí, olhei pra ele, vingativo e assustado, e, já sabendo que minha glória duraria pouco, resolvi colocar potência total, fiz tchuctchuctchuc, piuúúúúú, tchuctchuctchuc, piuúúúúú, chacoalhando o corpo, mostrando pra ele como é que se brinca de locomotiva. Fábio Grande pegou a bacia do chão e a próxima coisa que eu sei é que estou sendo levado às pressas pra enfermaria, o sangue escorren-

38

do pelo meu nariz e fazendo um trilho, sobre o qual Fábio Grande vem seguindo, de olhos arregalados, "Ele que começou! Ele que começou!", eu chorando e apontando o caixote: "Por que só ele pode brincar no trem? Por que só ele pode brincar no trem?! Por que só ele pode brincar no trem?!".

Cueca I

Meu ideal de vestuário era moletom, camiseta e botas: galochas vermelhas, azuis e amarelas ou as botas de caubói que a mãe do Fábio Pequeno me deu na primeira vez em que fomos à sua fazenda. Se fizesse frio, conjunto de moletom e botas. Se fizesse calor, short e botas. Quando havia piscina, sunga e botas. Mais de uma vez, aproveitando a distração dos adultos, saí pela casa nu, de botas.

Botas, afinal, eram a única peça da indumentária de super-herói que você podia vestir sem estar fantasiado. Calçá-las era como usar o cinto de utilidades do Batman, o escudo do Capitão América ou como levar na canela, para qualquer eventualidade, um frasco da poção mágica do Panoramix.

Recusava-me a vestir calça jeans. Dura, impedia o movimento; áspera, roçava nas pernas. E o zíper? E o botão? Pra que complicar tanto a vida, meu Deus?

Recusava-me a usar camisa. Para vesti-la e fechar todos

aqueles botões, precisava de um adulto, para tirá-la e abrir todos aqueles botões, precisava de um adulto. E a gola, roçando o pescoço? Qual o propósito daquele suplício? Recusava-me a usar malha de lã. Pinicava, coçava, fazia o nariz escorrer e, ao limpá-lo na manga, ficava com a pele toda assada. Recusava-me, sobretudo, a usar cuecas. Afinal, pra que servia aquela inútil camada de pano entre a pele e a deliciosa textura do moletom?

Havia certas ocasiões, no entanto — Natal, réveillon, festas de aniversário —, em que minha mãe me obrigava a vestir tudo de ruim ao mesmo tempo: calça jeans, camisa de botão, malha de lã e até — por quê, ó céus? — cueca.

Nessas lamentáveis manhãs eu corria pela casa, me trancava no banheiro, me escondia embaixo da cama, mas não tinha jeito: uma hora ela me alcançava, me pressionava, me ameaçava física e psicologicamente e, invariavelmente, eu terminava estirado no banco de trás do carro, revirando-me no assento, olhos inchados, coçando o pescoço e dando coices no ar, para deixar bem claro a que ponto me sentia ultrajado dentro daquela engomada armadura.

Na maior parte do tempo, porém, conseguia trajar-me de acordo com meus princípios: botas, sempre; cuecas, jamais.

No aniversário do Fábio Pequeno, a mãe dele arrumou uma Kombi e levou todas as crianças da vila para um fim de semana na fazenda. Chegamos sexta à noite, após três horas de asfalto e mais uns quarenta minutos sacolejando por estradas de terra, mas não nos abalamos: largamos as malas nos quartos e fomos correndo para a sala de jogos, uma antiga cocheira afastada da casa e que, desde o relincho do último cavalo, nos estertores da produção cafeeira, cinquenta anos antes, não ouvia tamanha balbúrdia: berros, estampidos, estrondos, rangidos, guinchos, estalos, estrépitos e demais barulhos produzidos por um endemoniado pebolim, disputado a trinta mãos, com quatro bolas. A esbórnia, contudo, estancou de imediato assim que a mãe do Fábio entrou, revelando:

— Antonio, não tem cuecas na sua mala.

Fez-se um silêncio de cadeia em véspera de rebelião. Fiquei tão nervoso que acreditei que o som de uma das bolinhas correndo pelas entranhas da mesa fosse a saliva que eu acabara de engolir, arrastando-se pelo deserto de minha garganta. Então a bola caiu na gaveta e, ao seu impacto seco contra a madeira, explodiram as gargalhadas:

— O Antonio não tem cueca!

— O Antonio vai ficar sem cueca!

— Olha só o Antonio! Sem cueca, sem cueca!

A questão não era tanto eu não ter cuecas quanto o meu nome estar, de alguma forma, associado a elas. Não sabíamos exatamente o porquê, mas roupas de baixo eram um assunto delicado e, portanto, nessa seara ninguém queria fugir um milímetro à norma. Se dissessem que minhas cuecas eram grandes, todos ririam do mesmo jeito e eu deveria provar que eram pequenas, se me acusassem de usar cuecas pequenas, eu me defenderia dizendo que eram grandes, assim como se falassem que eu tinha cuecas vermelhas eu juraria que as minhas eram todas brancas, e se comentassem que eu era um tipo estranho que só usava cuecas brancas, afirmaria ter várias coloridas. Como a acusação era de que não havia cuecas na minha mala, a única forma de desligar meu nome do tema era provar que sim, obviamente, eu tinha cuecas e, portanto, a minha relação com tais peças do vestuário era perfeitamente normal.

Decidido a reconquistar a honra, apontei um indicador para o alto, pus a outra mão na cintura e lancei, do fundo do meu desespero, a seguinte declaração — vaga, sem dúvida; falsa, decerto; mas imponente e, ao menos temporariamente, eficaz:

— É nada!

Com passos firmes, parti em direção à casa, a mãe do Fábio me seguindo e as catorze crianças atrás — no caminho, até os cri-cris das cigarras pareciam caçoar de mim.

Cercado por meus algozes, procurei nos bolsos da mala, entre as camisetas, dentro das calças; remexi as roupas com tamanha obstinação que cheguei a acreditar que, mesmo não usando cuecas, mesmo não tendo mais do que uma ou duas, perdidas no fundo de uma gaveta, de onde só saíam em Natais, Anos-Novos e outros infortúnios do vestuário, bastaria buscá-las com bastante empenho para fazê-las brotar do nada, como as moedas que meu pai tirava da orelha.

— Não tem, Antonio, eu já procurei — disse a mãe do meu amigo, enquanto as crianças seguiam com o coro:

— O Antonio não tem cueca! O Antonio não tem cueca! O Antonio não tem cueca!

Encurralado, apelei para o velho clichê do criminoso pego em flagrante e exigi meu direito a um telefonema. Na sala, diante dos olhos e ouvidos atentos do meu implacável júri, liguei para casa. Minha mãe atendeu. Do lado de lá, ouvi aquele burburinho de jovens pais se divertindo com os amigos num fim de semana sem os filhos: vozes, talheres, copos, risos, um disco de jazz, baixinho, ao fundo. Não dei nem oi:

— Mãe, você esqueceu de pôr cueca na minha mala!

Ela riu e, com a voz amaciada por uma ou duas taças de vinho, disse o que eu receava ouvir:

— Filhote, você não usa cueca.

Era um argumento irrefutável, evidentemente, mas já que havia levado a farsa até ali, só me restava ir adiante:

— Por quê, mãe?! Por que você esqueceu de pôr cueca?!
— Antonio, que que tá acontecendo? Você detesta cueca! Tá com saudade de casa, é isso?

Do lado de cá, a mãe do Fábio se intrometia:
— Deixa eu falar com ela.
— Não!
— Escuta, querido, meu irmão tá vindo pra fazenda amanhã de manhã, pede pra sua mãe mandar as cuecas por ele. Me passa ela aqui, que eu combino!
— Solta! Solta! — eu repetia, apertando o telefone contra o corpo com tanta força que podia sentir a voz da minha mãe fazendo cosquinhas na pele:
— Antonio, tá aí? Deixa eu falar com a mãe do Fábio. Antonio?

A mãe do Fábio:
— Antonio, dá aqui o telefone?
As crianças:
— Sem cueca! Sem cueca! Sem cueca!

Cansada da negociação, a mãe do meu amigo partiu pra ignorância: durante um tempo, eu e a mulher lutamos pela posse do aparelho; fiz o que pude, mas ela era mais forte e habilidosa do que eu, e lá pelas tantas, com uma puxada e uma torção, conseguiu me desarmar. As crianças se calaram para ouvir.
— Oi, querida, tudo bom? Aqui, tudo ótimo, obrigada, só esse probleminha aí, das cuecas do Antonio, mas amanhã o meu irmão tá vindo pra cá e...

Pausa.
— Ahã, sei... Ahã, tá certo...

Pude ver minha desgraça entrando no telefone lá de casa, percorrendo os fios da vila, seguindo pelos postes de São Paulo, pegando a rodovia, chegando pela estrada de terra e saindo pelos furinhos no ouvido daquela mulher. Era o fim; minha mãe, intimada como testemunha de defesa, havia debandado para a acusação, estava confirmando as suspeitas de todos, não havia cuecas na mala, não havia cuecas na minha vida, eu era um descuecado, um incuequento, um ser absolutamente acuecal.

— Claro, claro, entendi — disse a mãe do Fábio antes de se despedir, desligar e abrir um sorriso. — É o seguinte, pessoal...

Não esperei para escutar o fim da frase: saí correndo para o pasto, me agachei atrás de um cupinzeiro e ali fiquei, se não me engano, até o fim da minha infância.

Cueca II

Os adultos continuavam à mesa, bebendo, falando e rindo, enquanto eu, metido num canto sob o vão da escada, analisava, curioso, a cueca que tinha acabado de ganhar de Natal. Conjecturava, mais especificamente, a respeito de uma pequena e retangular incongruência, costurada em seu elástico: uma etiqueta.

Durante meus primeiros anos de vida, a função das cuecas foi um enigma. Pra que usar uma sunga de algodão por baixo da calça, a apertar-nos o pinto, o saco e a bunda, se a todas essas partes do corpo era tão agradável o toque macio do moletom? O mistério arrastou-se até o dia em que meu pai, ouvindo-me reclamar da etiqueta de uma bermuda, a me pinicar as costas, sugeriu que eu vestisse uma cueca. Das trevas fez-se a luz. Então era isso, claro: elas existiam para nos proteger das etiquetas!

Como eram engenhosos os adultos: para cada doença um remédio, para cada problema uma solução, cada coisa no mundo tinha uma função. Assim segui pensando até aquele Natal, quando abri o pacotinho de plástico e fui novamente engolfado pela noite da ignorância: se me dessem um cachorro com etiqueta, tudo bem; um carro com etiqueta, numa boa; um caqui, sem problemas: mas uma cueca, cuja função era exatamente...

Decidido a resgatar a lógica perdida, fui até a mesa de jantar, cavei uma brecha entre meu tio e minha mãe e, crente de que a etiqueta falaria por si, coloquei a cueca no meio da mesa. Minha mãe a pegou, esticou, olhou de um lado, do outro, olhou pra mim:

— Que que foi, Antonio?
— A etiqueta, mãe!
— Tô vendo, e daí?
— Ué, a cueca não é pra etiqueta não pinicar?

Os adultos riram, mas não me intimidei:
— Se não é pra proteger da etiqueta, pra que que serve a cueca?

As risadas cessaram e depois de um breve silêncio todos começaram a palpitar ao mesmo tempo.

— Serve pra não prender o pinto no zíper — disse uma tia.
— É pra deixar tudo juntinho e não ficar balançando de um lado pro outro — sugeriu meu avô.
— É pra proteger — opinou um primo.

Prender no zíper? Mas e quando usava moletom ou short? Deixar tudo juntinho? Mas o legal era que aquilo balançava, ué. Proteger o pinto? Do quê? De quem? E se de fato algo ou alguém resolvesse atacá-lo, cobri-lo com aquela fina camada de algodão não me parecia a melhor estratégia. (Uma cueca de aço, como a de uma armadura, seria muito mais útil — e, pensando bem, muito mais legal.)

Não podia aceitar aquelas respostas, tanto por serem ruins quanto por serem muitas: cada coisa neste mundo tinha uma explicação e eles não sabiam me dar a da cueca. Na volta ao vão da escada, passei pela cozinha, peguei uma tesoura e, encolhido em meu rincão, cortei rente à costura a fonte da minha angústia. Agora a etiqueta não me causaria incômodo algum. Algo mais sutil, porém, passaria a me pinicar, daquela noite em diante: se eles não sabiam nem a função da cueca, como confiar no resto?

Indefectível

Àquela altura da vida ainda não estava claro se eu era ou não capaz de controlar o mundo com o poder da mente, mas como a experiência me dava tantos exemplos para acreditar que sim como para desconfiar que não, não custava nada tentar: assim que vi pela janela o posto se aproximando, fechei os olhos, me concentrei e torci para que o pai do Henrique encostasse ali: "Para, para, para, para, para, para". A telepatia, porém, não surtiu efeito: o carro passou zunindo pela concha da Shell, que, dado o meu aperto, mais parecia uma enorme tampa de privada me acenando sarcasticamente pelo vidro traseiro, enquanto nos afastávamos em alta velocidade.

Estávamos a caminho do sítio do Henrique e eu tinha duas urgências:

1. Fazer cocô.
2. Evitar a todo custo que qualquer um naquele carro descobrisse que eu precisava fazer cocô.

O item dois era a minha prioridade.

Na idade adulta, os assuntos relacionados às necessidades

fisiológicas não são mais o ápice da infâmia. Não que o tema deixe de ser nojento: o leque das possíveis ações desabonadoras é que se amplia. Você pode roubar, subornar, chantagear, praticar o matricídio, o parricídio, o fratricídio ou qualquer dos inúmeros "cídios" disponíveis, pode ser um adepto da pedofilia, da zoofilia, da zoopedofilia, pode descobrir, durante uma festa da firma, que suas fotos se divertindo com uma cabritinha caíram na internet e, no exato momento em que se serve de mais um canapé, estão circulando pelos celulares dos colegas de trabalho. De modo que uma menção ao cocô se torna apenas uma indiscrição, no máximo um pequeno constrangimento. Aos quatro anos, contudo, a situação é diferente. Assim como a respeito das cuecas, paira sobre "as coisas que se faz no banheiro" uma nuvem carregada de ridículo, que, ao menor passo em falso, pode trovejar, relampejar e desaguar na sua cabeça. (Bem, não exatamente na cabeça — e não apenas desaguar.)

Pra começo de conversa, você nem tem certeza de que todos fazem cocô ou se aquele é só um defeito seu e de mais meia dúzia de infelizes, como um nariz que escorre, uma orelha de abano ou a estranha capacidade que seu pinto tem de, vez ou outra, no meio de uma aula, no tanquinho de areia ou no colo da mãe de um amigo, ficar duro e comprido. Minhas irmãs eu sabia que faziam cocô. Meu pai, também. Mas o que dizer sobre minha mãe? Minha professora? O Super-Homem? O Bozo? Eles faziam cocô?

Sem dúvida, se eu pedisse para o pai do meu amigo parar num posto e explicasse a razão, o Henrique, a Margarida e as minhas irmãs ririam de mim, me apontariam seus dedos e gritariam: "Hahahaha, ele quer fazer cocô! Ele quer fazer cocô!". Quem sabe, até, eles e as outras crianças que estariam no sítio me dariam algum apelido como Cocônio ou Tonicocô ou Toni

Cocozeiro, a história chegaria ao colégio, eu e meu cocô atravessaríamos toda a vida escolar de mãos dadas.

Não. Melhor ficar quieto, insistir mais um pouco nos duvidosos poderes da telepatia, secar o suor das mãos na mochila a que me agarrava e tentar disfarçar o sufoco cantando baixinho as músicas que a mãe do Henrique puxava com as crianças: "O jipe do padre fez um furo no pneu, um furo no pneu/ o jipe do padre...".

Depois de uma hora de "Jipe do padre", "Vomitaram no trem" e "Margarida roubou pão na casa do João", descobri que a força da mente podia ter pouca influência nas decisões do motorista, mas ao menos sobre as próprias entranhas exercia algum controle, pois chegamos ao sítio sem que eu precisasse revelar meu segredo — ou que, terror dos terrores, ele se revelasse sozinho. Quando o pai do Henrique puxou o freio de mão, disfarcei meu aperto num falso grito de euforia, abri a porta, saltei do carro e saí correndo casa adentro.

Em minha utopia sanitária, assim que ultrapassasse o batente veria um banheiro e estaria salvo, mas dei com os burros n'água, ou melhor, longe dela: topei com uma sala enorme, de pé-direito altíssimo e sem nenhum indício de privada por perto. Lá do outro lado, a quilômetros de distância, havia um corredor. Corri até ele. Tinha umas quatro portas de cada lado — ou talvez fossem quarenta. Uma a uma, as abri: quarto de casal, quarto com beliches, quarto com selas de cavalo, quarto de TV, sala de jogos, sala vazia e com cheiro de mofo, sala cheia de livros. Só na última porta, lá no fim, quando já estava considerando me esconder dentro de um armário e fazer cocô ali mesmo — como saberiam que fui eu? —, achei o banheiro.

Entrei. Tranquei a porta. Que bela visão! Ali, a um metro de mim, a privada, branca e pura como uma nuvem no meio de um céu azul. Meu alívio foi tão grande que, quando me dei conta, tinha feito cocô nas calças.

* * *

Estava no sítio do Henrique, de pé na porta de um banheiro, e tinha duas urgências:
1. Livrar-me do cocô em minha cueca.
2. Evitar a todo custo que qualquer um naquela casa descobrisse o que acabara de acontecer.

O item dois era a minha prioridade.

Se, durante a infância, o cocô era o topo da infâmia, o cocô na calça era o topo com uma escadinha em cima. Aos quatro anos, você tem poucas atribuições: não derrubar ou quebrar nada, não botar na boca objeto ou substância que não tenha sido previamente aprovado por um adulto, não meter o dedo em nenhum buraco que não tenha sido previamente aprovado por um adulto, não morder ninguém e, acima de tudo, não fazer xixi na cama ou cocô na calça. É a isso que você se dedica, como um bombeiro se dedica a apagar incêndios e um cachorro a abanar o rabo. Um fracasso nessa área é, portanto, um fracasso total — se fosse possível ser demitido da infância por justa causa, estaria aí uma bela razão.

Fechei e tranquei a porta. Era preciso raciocinar com calma. Não era assim tão grave, afinal. Enquanto permanecesse ali dentro, ninguém saberia do segredo escondido em minha cueca. Se alguém batesse, diria que estava escovando os dentes. Se preciso fosse, até escovaria os dentes, para disfarçar.

Antes de mais nada, tinha que averiguar a gravidade da situação. Com muita frieza, afastei os elásticos da calça e da cueca e as abaixei, minimamente. Como um pássaro acomodado em seu ninho, um cocô me observava. Pelo menos era um só. E duro. Não havia caído ou escorrido pelas pernas.

Motivado por aquele sopro de otimismo, me pus a pensar num plano de ação. O certo seria tirar a calça, a cueca, enrolar as mãos e os braços em papel higiênico até ficar parecendo uma múmia, içar o cocô, depositá-lo na privada, desenfaixar os braços, jogar fora o papel, lavar a calça e a cueca, me limpar, tomar banho e botar uma roupa limpa. Mas como executar todas aquelas tarefas, se até me limpar sozinho, depois de um cocô normal, já era um pequeno desafio? Se mesmo um banho era um procedimento cercado de mistério: toda aquela complicação das torneiras, a quente e a fria, que deveriam ser equalizadas para que a água não me gelasse nem me queimasse a espinhela, coisas que só adultos sabiam fazer? Além do quê, assim que ouvissem o barulho do chuveiro, os pais do Henrique estranhariam, bateriam na porta, me obrigariam a abri-la e eu seria descoberto.

Não, eu não podia ser *descoberto*, ninguém podia *me descobrir*, meu medo do *descobrimento* era tanto, e tantas vezes a palavra rondou minha cabeça, que fez brotar de si uma saída, uma ideia que me pareceu não apenas lógica como bela, em sua simples engenhosidade: se o importante era não ser pego e era impossível me livrar daquele cocô, o jeito era escondê-lo. Ou melhor, abafá-lo.

Abri a mochila e tirei de lá todas as roupas que minha mãe havia mandado. Por cima da calça, vesti uma sunga. Por cima da sunga, dois shorts, e, sobre os shorts, quatro calças de moletom. Olhei-me no espelho, rechonchudo como o boneco da Michelin, mas orgulhoso: meu plano era perfeito. Parecia tão inteligente e havia sido executado com tal esmero que eu não entendi como, mal saí do banheiro, os adultos o descobriram.

Enquanto eu saltitava pela grama, nu como um prisioneiro se protegendo do suplício do esguicho, cheguei à conclusão de que os adultos eram capazes de usar a telepatia, habilidade que eu, àquela altura da vida, ainda não tinha desenvolvido. Claro: só assim poderiam ter enxergado, mal bateram os olhos em mim, o segredo que eu escondia por trás das roupas e do sorriso indefectível.

África

— Se você for sempre reto aqui, sabe aonde chega?
— Aonde?
— Na África.
— Mentira!
— Sério. Meu tio que me contou.

Eu e o Fábio Grande ficamos um tempo calados, os pés na areia e os olhos no horizonte, recordando tudo o que já havíamos visto em livros, filmes e programas de televisão sobre o Continente Negro.

— Tem leão na África — eu disse.
— Tem girafa também.
— E rinoceronte.

Depois de mais alguns segundos de silêncio contemplativo, o Fábio propôs:

— Vamos lá?

Estávamos na ilha de Itaparica, com a família do meu vizinho. Fábio ia pra lá todo ano. Sabia subir em coqueiro e pegar siri com a mão, andava descalço na areia sem queimar o pé e dava cambalhota na água sem tampar o nariz: me passava segurança suficiente, portanto, para que eu topasse a expedição transatlântica.

Não sabíamos a que distância estávamos de nosso destino — o tio do meu amigo havia dito apenas que "indo sempre reto aqui" dava na África, sem entrar em maiores detalhes —, então resolvemos nos precaver: passamos em casa para pegar as pranchas de isopor e, após vinte minutos e um rolo inteiro de fita-crepe, conseguimos colar uma garrafa de Lindoia na frente de uma delas. Tudo pronto.

Estava claro que ultrapassar as ondas seria a parte mais difícil: se conseguíssemos vencer aquela espessa barreira de espuma, o resto da jornada — a se julgar pela aparente calma do mar aberto — seria bico. Enquanto Fábio decidia, compenetrado, o melhor lugar para atravessarmos a arrebentação, ao seu lado, quieto, eu aguardava instruções.

Entramos na água no ponto escolhido, saltei sobre a prancha e comecei a bater os braços freneticamente. Fábio me aconselhou a descer e irmos andando até onde desse pé, evitando assim uma precoce assadura nos mamilos. Obedeci. Chegamos ao fundo, subimos nas pranchas e passamos a remar com os braços. A primeira onda se aproximou e Fábio tentou me explicar, às pressas, a técnica do "joelhinho", procedimento usado pelos surfistas para passar a arrebentação. Parecia simples, na teoria, e assim que a onda nos alcançou, tentei imitá-lo, mas algo não saiu exatamente conforme o planejado: foi como se eu tivesse sido jogado dentro de uma betoneira cheia de mingau; o mundo ficou bege e confuso, girei muitas vezes, ralei o ombro no fundo, entrou água no meu nariz, areia na boca e, quando dei por mim, estava sentado no rasinho, com os olhos ardendo e uma franja de sargaço tapando a visão.

Não demorou e o Fábio apareceu com a minha prancha. A

garrafa d'água tinha ido embora, levando consigo todo o aparato de fita-crepe e uma quantidade razoável de isopor. Breve debate: voltar para a casa e prender nova garrafa d'água — dessa vez com fita isolante — ou seguir adiante? Humilhado com o meu caldo, insisti para seguirmos em frente: tínhamos acabado de chupar picolés e não pretendíamos mesmo passar muito tempo na África — era ver uns leões, elefantes e rinocerontes e voltar a tempo pro lanche. O Fábio concordou e, antes de retomarmos os trabalhos, me ensinou, com calma, os procedimentos relativos ao "joelhinho".

Voltamos à arrebentação. Não capotei, como da outra vez, mas tampouco atravessava as ondas feito uma foca; cada uma que vinha me arrastava alguns metros para trás. Eu lutava bravamente, contudo. De tempos em tempos nos olhávamos, cúmplices como soldados avançando sobre território inimigo. Até que, depois de uma eternidade, com os olhos vermelhos, a barriga ralada e os mamilos em chamas, o que parecia impossível aconteceu: passamos a arrebentação. Estávamos em mar aberto. A calma e o silêncio aumentaram a ansiedade: a África, que ali da praia poderia ser apenas um sonho, era agora quase tangível. Algumas braçadas e estaríamos na savana. Quando eu contasse na escola, ninguém iria acreditar.

Antes de seguirmos adiante, breve debate sobre o que fazer para nos protegermos da fauna hostil. Como nenhum de nós se lembrava de ter visto imagens dos grandes felinos no mar, parecia seguro observar leões, leopardos e panteras de dentro d'água. Quanto aos tubarões, o combinado foi manter os pés para cima e bater os braços rapidamente — a prancha de isopor se encarregaria de proteger nossos troncos.

Aos poucos, fomos deslizando azul adentro. Os sons da praia foram ficando cada vez mais distantes: o frescobol, a buzina do sorveteiro, vozes de crianças, a matraca do vendedor de tapioca, alguém que gritava "Fábio! Antonio! Antonio! Fábio!". Opa. Com água nos joelhos, a mãe do meu amigo andava de um lado pro outro, abanando os braços. Parecia muito alterada. Estava acompanhada pelo tio do Fábio, a avó e mais uma meia dúzia de banhistas. Todos nos acenavam. Será que algo de grave havia acontecido em terra? Talvez ela estivesse brava por termos pegado a fita-crepe sem pedir. Ou seria a garrafa de Lindoia?

Notei, então, que alguns surfistas entravam no mar e vinham remando vigorosamente em nossa direção. Era óbvio: ao nos verem cruzar a arrebentação e seguir reto, compreenderam nosso projeto e decidiram vir junto. Fábio me sorriu, eu sorri de volta e ficamos ali, olhando pro horizonte e esperando os retardatários para seguir com a expedição.

Ca Ce Ci Co Çu

Dentre as inúmeras estranhezas do mundo, mais esta: havia coisas com vários nomes e nomes com várias coisas.

Exemplos de coisas com vários nomes:
Carro, automóvel, Brasília.
Privada, vaso, trono.
Rosto, cara, face.

Exemplos de nomes com várias coisas:
Manga: a fruta e o pedaço da roupa usado para limpar o nariz quando não há adulto por perto.
Como: a palavra que uso para perguntar "*Como* liga?", "*Como* joga?", "*Como* faz?", mas também o que faço quando almoço, janto, tomo café da manhã.
Barata: um bicho que na praia voa e na cidade não e também o preço de uma coisa quando não tá *cara*.
Cara: o rosto, o preço de uma coisa quando não tá *barata* e o jeito que meu pai chamava os amigos: e aí, *cara*?

* * *

Não bastasse essa confusão, havia também coisas com nomes que podiam ser pronunciados em certos lugares, mas em outros, não. *Bumbum*, por exemplo, estava liberado por toda parte. *Bunda* era permitido na casa do meu pai e da minha mãe, mas não na escola ou na casa da minha avó. Existia ainda uma terceira palavra, curtinha e de aparência inofensiva, que não deveria ser pronunciada jamais, nem na casa do meu pai, como já ficou bem claro na primeira vez em que a ouvi.

Estávamos no meio de uma aula de artes, concentrados, aprendendo a cortar argila com barbante, quando uma voz esganiçada e sarcasticamente empolada surgiu lá no corredor, cantando "Jingle Bells".

Logo entendi de quem se tratava. Caio era um repetente do pré que andava com os cabelos despenteados, os cadarços desamarrados e um ranho constante descendo pelo buço — evidentes *statements* contra o statu quo. No início daquele ano, ele havia jogado um abacate por cima do muro da escola, atingindo o carro de um vizinho. No ano anterior, embora nada tenha sido provado, foi sobre ele que recaíram todas as suspeitas quando o aparelho móvel da Catarina, sumido havia alguns dias, apareceu embaixo de uma folha de couve, semienterrado no húmus do minhocário. Eu tinha medo do Caio, mas um pouco de pena, também. Supunha que pelo menos parte de sua inadequação se devesse ao batismo: afinal, era ou não mau augúrio vir ao mundo com a queda no nome?

Conforme a voz foi se aproximando da classe, reparamos que a versão do nosso colega para a canção natalina era ligeiramente diferente da que conhecíamos: "*Jingle bells, jingle bells,* acabou o papel/ não faz mal, não faz mal, limpa com jornal/ o jornal tá caro, caro pra chuchu...". Neste ponto, o professor fez

59

uma cara de pânico, largou o bloco de argila e o barbante sobre a mesa e saiu voando em direção ao corredor, mas já era tarde: a cabeçorra do garoto surgiu, emoldurada pelo batente da porta, e, com um sorriso de maluco no rosto, como se olhasse para todos e para ninguém ao mesmo tempo, ele gritou — "então como é que eu faço pra limpar meu [pausa dramática] cu?!".

Enquanto o professor sumia escola adentro, levando o Caio pelo braço, eu matutava sobre aquela misteriosa palavra: tão curta e tão forte. Levaria mais ou menos um ano para que a ouvisse novamente — e, quando aconteceu, foi ainda mais esquisito que da primeira vez.

Era o último dia de aula do Jardim II e a professora nos informou com a devida solenidade que no semestre seguinte, no pré, aprenderíamos a ler e escrever.

Passei as férias ansioso. Fazer colagens com sucata, modelar cinzeiros de argila, batucar em latas de Nescau, pintar a mão com guache e estampá-la em folhas sulfite eram atividades muito prazerosas, verdade, mas já estava mais do que na hora de entender o que diziam os livros, as placas, os outdoors e as fachadas da cidade sem precisar do auxílio de um adulto.

No dia em que as aulas começaram, almocei rápido e fiquei apressando minha mãe: tinha medo de me atrasar para a escola e, chegando lá, descobrir que todos haviam aprendido a ler e escrever, menos eu. Ao entender a razão da minha ansiedade, ela riu, explicou que a alfabetização era um processo complexo e demorado e não seria arruinado por sua sobremesa.

Ela tinha razão. Após semanas de esforço, eu não só continuava incapaz de escrever uma única frase como sequer estava muito seguro em relação às letras. Nunca sabia quantas perninhas pôr no E, quantas corcovas tinha o M — sem falar na porcaria do W, um M de ponta-cabeça que a professora dizia não servir para nada e, portanto, devia existir só para nos confundir. Que o M era uma consoante e o E uma vogal, isso eu sabia. Nós aprendemos primeiro as vogais, depois as consoantes, e agora estávamos misturando. Essa parte até que era divertida. A professora perguntava: "M e A?", e nós respondíamos, em coro: "Ma!". "M e E?": "Me!". "M e I?": "Mi!". "M e O?": "Mo!". "M e U?": "Mu!".

Quando surgia alguma palavra da junção da vogal com a consoante — Mu, por exemplo, o som que a vaca faz —, a gente achava muito engraçado e dava risada, feliz da vida, percebendo que o nosso esforço não era em vão e que, de letra em letra, talvez uma hora realmente aprendêssemos a ler e escrever.

Cada vez que íamos começar a série com uma nova consoante, eu tentava antecipar as palavras que poderiam surgir. D e A formavam Dá, L e E formavam Lê, L e I formavam Li... E foi essa prática antecipatória que me fez tremer quando a professora começou a série do C. "C e A?", ela perguntou, e enquanto todos respondiam "Ca!" só consegui pensar que chegaria a vez do U e a classe gritaria, em uníssono, a sílaba proibida.

Seria possível que nossa professora estivesse nos levando à beira do precipício e, lá chegando, nos encorajasse a saltar? Ou será que no pré as repressões se afrouxavam, liberando costumes e termos vetados ao pessoal do Jardim II? Pouco provável, se mesmo "bunda", aparentemente mais light, seguia na ilegalidade.

"C e E?", perguntou a professora, e, apesar da tensão, me esforcei para responder com os outros: "Que!". Para minha surpresa, ela fez não com a cabeça. Explicou-nos, então, que a série do C era um pouco diferente: "Com algumas letras, o C tem som de Q, como C e A, Ca, mas outras vezes ele tem som de S. C e E, por exemplo, é Ce. E C e I é Ci".

Brilhante! Eles haviam mudado a série do C para evitar o

palavrão. Eu sabia que os adultos não deixariam um problema daqueles passar. Quando chegasse o momento de respondermos o som de C e U, diríamos, imaculados e felizes: Çu. E por que colocar o som de S no E e no I, se nem "Que" nem "Qui" eram palavrões? Ora, para disfarçar. Se a série fosse Ca, Que, Qui, Co, Çu, todo mundo ia perceber o disfarce na última sílaba, como alguém fantasiado de arbusto no meio de um descampado e, como resultado, a palavra proibida viria imediatamente à consciência. Já misturando os sons desde lá detrás, ou seja, inserindo mais umas moitas no cenário, a censura passaria despercebida, integrada, orgânica.

Tranquilo, deixei-me levar pela série do C: "C e I?", e a gente gritou "Ci!". "C e O?": "Co!". Então chegou a hora da verdade, a hora da vogal derradeira, aquela para a qual toda a série do C havia sido prudentemente alterada: "C e U?", perguntou a professora — surpreendentemente calma para quem caminhava em campo minado. Com medo de que algum ignorante não tivesse sacado a prudente adulteração da série do C e, com um mau passo, fizesse tudo voar pelos ares, me adiantei e falei bem alto: "Çu!". Pronto! A catástrofe havia sido evitada, depois viria a série do D, sem nenhum acidente à vista e com várias possíveis palavras, como Dado, Dedo e Dida, que era o apelido de uma colega de classe: estávamos salvos.

Perdido nas possibilidades da próxima consoante, imaginando se a Dida ia ser chamada à frente da classe, como havia acontecido com a Babi, na série do B, demorei a perceber que a professora fazia um não com a cabeça, olhando para mim. "A série do C só tem som de S com o E e o I, Antonio: "É Ca, Se, Si, Co e..." — meu Deus, ela vai dizer, ela vai dizer, ela... — "Cu" — ela disse. Diante da sala lotada, em alto e bom som, como se fosse "Lu", "Mu" ou "Ju", ela disse: "Cu".

Minha perplexidade não pôde reverberar por muito tempo,

pois mal a palavra saiu de sua boca, a professora tratou de emendar: "que nem em Cuidado, Acusado, Curioso, Cuco, Baiacu, Curitiba…", achando que bastaria embrulhar o termo proibido entre outras sílabas para escondê-lo da gente.

A série do D veio na sequência. A professora chamou a Dida lá na frente, pediu pra ela mostrar os "dedos", perguntou se a "Dida gostava de jogar dados" e se não achava "o Didi e o Dedé" muito engraçados, mas não prestei atenção. Pensava no Caio, não mais com medo ou pena, mas com admiração. Um aluno fala "cu" e é veementemente repreendido; meses depois, a professora repete a palavra na frente da classe e sai ilesa. Talvez o melhor mesmo fosse sair arremessando abacates por cima dos muros, enterrando aparelhos no minhocário e cantando obscenidades pelos corredores, sem se importar com o cabelo despenteado, os cadarços desamarrados, o nariz escorrendo, as perninhas do E, as corcovas do M, o mistério do W, a moral e os bons costumes.

C e U: Cu.

Mulher pelada

Toda sexta-feira, lá pelas seis e meia da tarde, meu pai aparecia para nos buscar. Assim que dobrava a esquina, dava duas buzinadas curtas: era o sinal para que pegássemos nossas mochilas e corrêssemos para a rua.

Geralmente íamos a algum restaurante ou bar, onde ele encontrava os amigos e a namorada e nos esbaldávamos misturando Coca-Cola com Sukita, comendo frango à passarinho com batata-frita e mandando pra cucuia, em meia hora, toda a harmonia nutricional que minha mãe havia conquistado, a duras penas, ao longo da semana.

Nas épocas em que meu pai tinha alguma peça em cartaz, costumávamos passar pelo teatro antes ou depois do bar, para que ele checasse a bilheteria, conversasse com os atores, visse o público entrando, ou, caso o espetáculo já tivesse começado, aferisse o êxito da noite pelo número de pipoqueiros na calçada.

Quando eu tinha uns cinco anos, estreou *Besame mucho* no Cultura Artística. Foi o maior sucesso do meu pai — coisa para três, quatro pipoqueiros —, mas eu não o considerava um homem realizado: muito pelo contrário. É que, aos olhos de uma criança, aquele teatro, embora um marco arquitetônico paulistano, era incapaz de competir com a exuberância kitsch das casas de strip adjacentes. Que apelo tinha um painel de pastilhas do Di Cavalcanti diante de neons em forma de dançarinas de cancã, levantando e abaixando as pernas, bocas abrindo e fechando, luas cheias, crescentes e minguantes, cometas espichando as caudas, estrelas acendendo e apagando? O que podia o projeto modernista de Rino Levi entre fachadas imitando castelo medieval, gruta rochosa e chalé alpino, com portas espelhadas, douradas, prateadas, forradas de couro preto, branco ou vermelho? Por aquelas portas pude ver de relance, uma ou duas vezes, os palcos esfumaçados, o pisca-pisca da luz estrobo, as prateleiras repletas de garrafas coloridas e, assim, confirmar a suspeita de que o teatro do meu pai era o estabelecimento mais desanimado da região.

Eu morria de vontade de saber mais sobre aquela Disneylândia noturna, mas não abria a boca, com receio de magoar meu pai, lembrando-lhe da simplicidade de seu teatro. Uma noite, contudo, ao sairmos do Cultura Artística, com o nariz colado no vidro de trás do carro e os olhos hipnotizados pelos neons, a curiosidade venceu o pudor e perguntei: por que aqueles teatros eram tão mais incrementados que o dele? Por que o dele, mesmo fazendo tanto sucesso, não investia em luzes e decoração, adequando-se ao nível da vizinhança? Sem aparentar nenhum ressentimento, meu pai explicou que as casas por trás dos luminosos não eram teatros, mas bares. Estranho. Eu conhecia muitos bares; o que tornava aqueles tão diferentes dos outros, em que comíamos frango à passarinho com batatas fritas e misturávamos Coca com Sukita? Com a maior naturalidade, meu pai respondeu: "Mulheres peladas".

Fiquei bastante intrigado. Do alto de minha meia década

de existência, "mulher pelada" não evocava nada além da imagem de minha mãe entrando ou saindo do banho, de touca na cabeça e toalha na mão, cheiro de xampu no ar, gotículas de vapor nos azulejos. Bem, talvez a fumaça vista pelas portas entreabertas fosse vapor dos chuveiros em que as tais mulheres se banhavam, mas algumas questões maiores permaneciam sem resposta: o que levaria mulheres a tomar banho num bar? Por que permaneceriam peladas depois da ducha? Qual seria a graça de comer frango à passarinho com a bunda de fora?

A explicação do meu pai só aumentou minha confusão: as mulheres peladas estavam lá porque homens que não tinham namorada apareciam especialmente para vê-las. De novo, impossível ligar causa e efeito: por que um homem sem namorada ia querer ver uma mulher pelada? Ainda mais num bar?

Enquanto rumávamos para o restaurante, subindo a Consolação, fiquei imaginando os tais sujeitos solitários, com cabelos desgrenhados e barbas por fazer, a bebericar tristemente seus chopes enquanto mães nuas iam e vinham com toalhas enroladas na cabeça, parando eventualmente entre as mesas para, apoiando o pé no assento de uma cadeira, passar cera depilatória.

Incapaz de visualizar tamanho despautério, pedi a meu pai que nos levasse a um bar de mulher pelada na próxima sexta. Não dava, ele disse, eram proibidos para crianças. Então, pela primeira vez naquela noite, alguma lógica apareceu: a proibição deveria ser para evitar que víssemos os tais homens sem namorada, sofrendo em meio ao vapor, aos neons e às toucas de banho. Aceitei a situação com certo alívio, até: o teatro do meu pai não era, afinal de contas, o estabelecimento mais triste da região.

Só quase vinte anos mais tarde atravessei uma daquelas portas espelhadas: as mulheres eram diferentes do que eu havia imaginado, mas os homens estavam lá, bem como eu os havia pintado.

Estimação

Mais uma madrugada em que a rua acordou com o berreiro. No começo, parecia aquela primeira explosão do pranto de um bebê, desesperada, possante, espécie de motor de arranque do choro, mas em vez de o urro diminuir, pausado por soluços e tomadas de ar, mantinha a intensidade: era como se uma velha estivesse sendo esganada diante de um megafone — embora tal suposição fosse por demais improvável para ocorrer a qualquer um dos vizinhos que, às dez pras seis da manhã, sentados em suas camas e de olhos arregalados, se perguntavam que *cazzo* estaria acontecendo.

Lá em casa, embora tristes, nada temíamos: sabíamos tratar-se apenas de Getúlio, nosso papagaio deprimido. Já fazia uma semana que a cena se repetia, sempre à mesma hora: minutos antes de o sol nascer o bicho tentava o suicídio atirando-se do poleiro, mas, com a pata presa a uma correntinha, ficava girando de cabeça para baixo, debatendo-se e compartilhando com o bairro sua gutural infelicidade. Esse, aliás, o único som produzido por suas cordas vocais, desde que viera morar conosco, trinta dias

antes: nada de "louro", "currupaco", "Salve o Corinthians" ou "Ouviram do Ipiranga". De dia, fechava-se em seu silêncio; casmurro, esquivava-se de nossos carinhos com bicadas e pescoções. De noite, dormia; até que, aos primeiros raios de sol...
Eu e minha irmã não nos conformávamos com o comportamento do Getúlio. Não depois de tudo o que havíamos feito: quase um ano de labuta diária junto à minha mãe, a fim de minar suas resistências e quebrar sua promessa de nunca mais nos dar um animal de estimação. Sua relutância não era sem razão: nosso histórico com os bichos era tão tenebroso que não seria absurdo pensar que a família sofresse de alguma maldição; que nossa casa, como nos filmes de terror, houvesse sido construída em cima de um cemitério indígena de animais e que os espíritos de velhas antas, preguiças e lobos-guarás estivessem se vingando em nossos gatos, tartarugas, pintinhos e, ultimamente, no Getúlio — pobre Getúlio, que agora girava de ponta-cabeça, esgoelando-se a meio caminho entre a cerâmica vermelha e os dedos róseos da aurora.

Tudo começou com um pintinho, cuja passagem pela Terra, de tão breve, não lhe rendeu sequer um nome: chamava-o de "pintinho" mesmo, se é que o chamei de qualquer coisa nas poucas horas em que convivemos. Veio num momento conturbado: minha mãe parecia doente, havia engordado muito, reclamava de enjoos e dor nas costas, mas, para minha surpresa, visitas apareciam animadas, acariciavam sua barriga como se fosse uma dádiva dos deuses, lhe davam presentes e parabéns. Uma noite, escutei uns barulhos, minha mãe sumiu por uns dias, e, quando voltou, trazia no colo um bebê, dizendo que eu havia ganhado uma irmãzinha.
Eu achei estranho, nunca tinha pedido irmãzinha nenhuma

e tampouco entendi como aquele bebê — que não falava, não andava e nem sabia jogar futebol — poderia ter para mim alguma utilidade. Se houvessem me consultado eu teria pedido uma vitrolinha, daquelas à pilha, que tocavam discos coloridos; mas como nunca me perguntavam antes de fazer as coisas, tive que aceitar a nova realidade: dividir meu quarto e meus pais com uma irmãzinha.

Como se não bastasse, um mês depois de o bebê chegar em casa, passaram a me mandar a um estabelecimento cheio de outras crianças, algumas de má índole e mesmo violentas, que não pensavam duas vezes antes de morder ou arranhar para ganhar espaço no tanque de areia ou surrupiar um giz de cera. Pior: se em casa eu tinha uma mãe só para mim (e, vá lá, para a irmãzinha), na escola éramos cerca de quinze meninos e meninas lutando pela atenção de uma única mulher.

Numa segunda-feira de manhã, depois de aguentar calado uma semana de humilhação, revoltei-me. Agarrei-me ao pé da cama, chorei, praguejei: daqui não saio, daqui ninguém me tira! Foi então que me apareceram com o pintinho. Chantagearam-me: se quisesse brincar com ele, tinha que largar do pé da cama, tinha que ir para a escola, tinha que engolir o choro e fingir que nada havia acontecido. Ele era amarelo, pequenininho, andava, piava, saltava, sem necessidade de pilha, corda ou fricção. Aquilo sim era um presente.

Passei o dia inteiro com o pintinho, na escola. Carregava-o na mão, no bolso do moletom, dentro da manga; dava-lhe água, miolo de pão e, na hora do lanche, quando ninguém estava olhando, lhe ofereci um pouquinho de Coca-Cola e goiabada. De noite, entrei no quarto dos meus pais e o depositei sobre o edredom, inerte: "Não funciona mais".

Como eu era muito novo para ter qualquer entendimento sobre a morte — e sem saber que aquele seria o primeiro de uma série de infortúnios envolvendo nossos bichos de estimação —, o "mau funcionamento" do pintinho não chegou a me abalar. Já sobre o falecimento de nosso segundo animal, alguns anos mais tarde, não posso dizer o mesmo.

Era uma tartaruga de aquário. Ou de bacia, para ser mais exato, pois era numa bacia azul que ela morava, encostada à parede da área de serviço, no fundo do quintal — logo abaixo do poleiro onde, anos mais tarde, Getúlio tentaria, repetidamente, sair da vida e entrar para a história. Assim como o pintinho, não tinha nome. Alimentava-se de alfaces — ou da gosma verde em que se transformava a alface depois de algumas horas boiando na água morna, sob o sol.

Uma manhã, não sei se por pena da pobre dieta da tartaruga ou se movido por uma dessas curiosidades irresponsáveis — xixi fora do penico, faca na parede —, resolvi dividir com ela meu chiclete. Ao voltar da escola, dei com a tartaruga no fundo da bacia, de barriga para cima, imóvel como o pintinho sobre o edredom. Desconfiei que meu Ploc tivesse algo a ver com aquilo e a culpa vez ou outra batia, no silêncio do quarto, ao deitar-me para dormir, mas desapareceu por completo no Natal daquele ano, quando eu e minha irmã, depois de muito insistirmos para ter um cachorro, ganhamos um gato.

O gato foi batizado por minha irmã: Alfredo — homenagem a um antigo amor do Jardim I, por quem ela, agora no Jardim II, ainda arrastava uma asa. Ao entregar-nos o bicho, minha mãe fez um breve discurso sobre responsabilidades e deveres. Disse que teríamos que cuidar dele, dar comida e água, limpar o xixi e o cocô na caixa de areia, botar talco antipulgas de tempos em tempos. Claro que, encantados com o bichinho, no dia 24 de dezembro juramos limpá-lo com a própria língua, se preciso fosse — mas não foi: uma semana depois de o levarmos para casa e sob condições bastante suspeitas, o gato sumiu.

Eu e minha irmã estávamos jantando, já de pijamas, quando nossa mãe chegou do trabalho. Entrou com o carro na garagem, como de costume, mas em vez de desligar o motor, deu marcha a ré e voltou para a rua. Uns dois minutos mais tarde, irrompeu esbaforida sala adentro, tirou-nos da mesa ainda mastigando, nos colocou no banco de trás da Brasília e, cruzando todos os faróis verdes, amarelos e vermelhos que encontrou pelo caminho, embicou na garagem da nossa avó. Pediu que esperássemos. Entrou na casa, depois saíram as duas, travando o diálogo menos convincente que já havia presenciado em meus quatro ou cinco anos de vida: "Ai! Que cabeça, a minha, mamãe! O livro que você pediu, esqueci! Agora vou ter que ir lá em casa buscar". "Vai lá, busca o livro que eu cuido das crianças. Quem quer bolo?! Quem quer Coca? Quem quer ver televisão?". Umas duas horas depois, minha mãe voltou (sem livro algum), nós fomos embora e nunca mais vimos o Alfredo.

Após uma semana, ele foi oficialmente dado como desaparecido. "Gato é assim mesmo", disse minha mãe, consolando-nos. "Vai ver ele conheceu uma gatinha e foi morar na casa dela. Vocês não se preocupem, deve estar muito bem, onde quer que ele se encontre!".

Só fomos compreender o sentido metafísico de suas palavras muitos anos mais tarde, numa noite de réveillon, quando, embalada por três ou quatro taças de champanhe, ela confessou ter atropelado o gato ao entrar na garagem. A estratégia traçada e executada em seguida visava muito mais nos proteger da visão do bicho moribundo do que salvá-lo, pois na meia hora em que minha mãe demorou para levar-nos à casa da minha avó e voltar, Alfredo ficou agonizando atrás de um vaso de pacová, onde ela achou por bem escondê-lo. Ao tirá-lo dali, levou-o até um veterinário 24 horas, que, declarando a situação irremediável, terminou o serviço com uma injeção letal de cloreto de potássio.

* * *

Movida pela culpa, poucos dias depois de ter atropelado nosso gato e ainda o tachar de fujão, nossa mãe voltou do trabalho com outro gatinho no colo. Minha irmã quis batizá-lo de Alfredo — agora, imagino, mais em homenagem ao gato desaparecido do que ao antigo amor —, mas constatou-se que o bicho era fêmea e, portanto, o nome foi descartado. Ficou se chamando Alfreda.

Dali em diante, o som de minha mãe chegando do trabalho mudou um pouco. Ouvíamos o carro se aproximando, os freios chiando levemente, uma rápida buzinada, três piscadas de farol, e só então ela entrava na garagem.

Os meses seguintes foram o mais longo período de felicidade que tivemos com um animal de estimação. Uma utópica ilhota de harmonia em meio a um mar de tormentas. Alfreda não engasgou com chicletes, não morreu atropelada, não tentou o suicídio nem parou de funcionar misteriosamente. Pouco antes de fazer um ano, contudo, apareceu com a patinha quebrada. Normal, pensamos, acontece nas melhores famílias. Eu e minha irmã, inclusive, torcíamos para quebrar algum osso e ter um braço ou perna engessados. Quem sabe, na falta de fraturas próprias, não poderíamos levar a gata à escola e pedir aos colegas para rabiscarem no gesso?

Fizemos questão de ir com nossa mãe ao veterinário. (Anos mais tarde, saberíamos tratar-se do mesmo profissional [sic] que havia ajudado Alfredo em sua "fuga".) O sujeito levou a gata para uma sala e, vinte minutos mais tarde, em vez de trazê-la com a patinha imobilizada, jogou em nosso colo a notícia de que Alfreda sofria de uma doença degenerativa incurável. O cálcio consumido não chegava aos ossos, que ficariam cada vez mais frágeis. Teríamos que sacrificá-la. Choramos, gritamos "Nãããão!"

e "Alfreeeeeeda!" e minha irmã chegou a dizer que, se fossem dar uma injeção letal na gata, que dessem nela também, pois dali pra frente sua vida perderia o sentido.

Minha mãe perguntou ao homem se não havia possibilidade de levarmos Alfreda para casa, até que morresse de morte natural. Com um sorriso no canto da boca ele respondeu que, se quiséssemos, poderíamos tentar, mas era melhor criá-la num aquário, pois seus ossos se quebrariam um a um, até que ela se transformasse numa gelatina e morresse de fome.

(Ainda hoje, vez ou outra, lembro-me desse homem, de seu sorriso e da palavra "gelatina" escorrendo por sua boca. Fico em dúvida se ele escolheu veterinária devido ao ódio por animais ou por crianças. Espero que, ao longo de todos esse anos, ele tenha tido alguma epifania e mudado profundamente sua forma de estar no mundo, ou que se encontre, ao lado do pintinho, da tartaruga, de Alfredo e Alfreda, num lugar melhor.)

Na volta para casa, enquanto minha irmã se jogava no chão, agarrava-se às árvores, abraçava postes e usava outras técnicas melodramáticas que fariam corar um autor de novela mexicana, minha mãe jurou nunca mais nos dar animais de estimação. A promessa durou dois anos, até que Getúlio cruzou, literalmente, nosso caminho.

Numa esquina pela qual passávamos todo dia, de casa para a escola, surgiu um senhor vendendo papagaios. Aproveitava-se do farol fechado e ia andando por entre os carros, quatro ou cinco louros sobre os ombros, todos falando ao mesmo tempo: "Corinthians!", "Parrrmêra!", "São Paulo!", "Alô, Terezinha!". Alguns até cantavam marchas de carnaval como "Olha a cabeleira do Zezé", "A jardineira" e sucessos do rádio.

Durante seis meses, minha mãe viveu sob fogo cruzado: de

um lado, eu e minha irmã pedindo um papagaio; do outro, o vendedor, que já sabia nossos nomes e fazia os pássaros repeti-los quando o carro parava por ali. A gota d'água foi no dia em que o senhor, descobrindo ser aniversário da minha irmã, fez a meia dúzia de papagaios cantarem em coro o parabéns a você. Ao começar o "é pique, é pique", minha mãe já estava com o pisca--alerta ligado, estacionando sobre a calçada, tentando se convencer de que papagaio nenhum poderia dar mais trabalho do que aquelas duas crianças emburradas, atormentando-a noite e dia. Depois de alguma negociação, comprou-nos o que parecia ser o mais bonito: chamava-se Getúlio, segundo o vendedor, e não iríamos nos arrepender de nossa escolha.

O homem deu rápidas indicações sobre como criar o bicho. Explicou que as asas eram cortadas, para que ele não fugisse voando, mas que por via das dúvidas era bom prendê-lo ao poleiro (quinze cruzeiros), com uma correntinha (cinco cruzeiros). Deveríamos alimentá-lo com sementes de girassol (dois cruzeiros), frutas (ele não vendia) e trocar a água duas vezes por dia. Quanto à fala, nos garantiu: "Isso aí não precisa nem se preocupar! Ele fala pelos cotovelos!" — e a nenhum de nós ocorreu, na empolgação, o detalhe de que papagaios não têm cotovelos. "Tchau, Getúlio!", disse o senhor, "Tchau, Getúlio!", respondeu o bicho — e foram as últimas palavras que ouvimos sair de seu bico.

Nos primeiros dias acreditamos na explicação de nossa mãe: o mutismo de Getúlio era resultado de uma "fase de adaptação". "Lembra quando você começou na escola, Antonio? Lembra que você não gostou? Agora acostumou, não acostumou? Então, com o Getúlio também é assim. Ele morava lá com os amigos dele, agora tá aqui em casa, tá estranhando um pouco, mas logo, logo ele tá falando, vai ver só."

Pois Getúlio não só não se acostumou como foi ficando cada vez mais soturno. Cuspia as sementes de girassol por todo o quintal, entornava o potinho de água, picotava o jornal sob o poleiro. Pior era seu olhar, um olhar de psicopata, como o de um desses caras que, se aparecem no metrô, fazem todo mundo se afastar dos trilhos.

Uma semana depois de chegar em casa, Getúlio parou de comer. Recusava as sementes, não queria saber da banana, deu pra fazer cocô no mamão. Suas penas estavam feias, seu corpo, magro: parecia um pássaro resgatado no mar após vazamento de óleo em pôster do Greenpeace.

Chegamos a parar na esquina, a caminho da escola, para consultar o vendedor. Ele veio com o mesmo papo da minha mãe: "fase de adaptação". Em breve, o papagaio cantaria "Eduardo e Mônica" de trás pra frente. Quanto à greve de fome, não soube o que fazer. Sugeriu que variássemos os alimentos, até encontrarmos algum que lhe apetecesse.

No dia seguinte, Vanda entrou correndo em casa, exultante. Depois de horas oferecendo a Getúlio uma degustação mais variada do que o banquete de um sultão, conseguira finalmente acertar seu paladar. Voamos para o quintal e encontramos o papagaio com o bico todo branco, a cara enfiada numa tigela de sorvete de creme.

Dois dias de sorvete melhoraram bastante o aspecto do Getúlio: ele já não parecia mais um pássaro resgatado num mar de óleo — apenas tirado de um tubo de PVC no fundo da mala de um traficante de animais. (Dadas as condições anteriores, acredite, era uma sensível evolução.) Chegamos a nos animar, a adaptação havia começado — mas as 48 horas de alegria não passavam do canto do cisne: e o canto que soou na madrugada não era nada belo. Na virada da segunda para a terceira noite após o início da dieta da baunilha, acordamos com os terríveis berros, pela primeira vez. Corremos para o quintal e demos com o papagaio se debatendo, de pernas para o ar. Foi preciso dez minutos, uma tampa de panela e uma luva térmica para que minha mãe conseguisse colocá-lo de volta no poleiro.

"Ele caiu", disse a Vanda, tentando nos acalmar — e nós fingimos acreditar. Enchemos um pires de sorvete de creme e fomos dormir, torcendo para que ela estivesse certa, mas o olhar de Getúlio — um olhar de facínora, como um desses caras que, se entram no avião, fazem todo mundo pensar em desistir da viagem — sugeria que a explicação talvez não fosse tão simples.

Não era: na madrugada seguinte, lá fomos nós, de novo, esbaforidos e sonolentos, resgatar o bicho de mais um suicídio frustrado. E na seguinte também, e na outra, e na outra depois da outra, até que da sétima vez, quando a rua acordou assustada com a gritaria, imaginando tratar-se de uma velha sendo esganada diante de um megafone, minha mãe anunciou que a situação era insustentável: teríamos que nos livrar de Getúlio. Aceitamos o infortúnio, resignados. Talvez fosse maldição, talvez estivéssemos profanando um cemitério indígena, a única certeza era que o bairro não podia ficar refém das tendências depressivas de nosso papagaio.

Vanda o levou para a chácara da prima, lá pros lados de Barueri. Um mês depois, segundo nos contou, Getúlio não só falava os nomes dos seis filhos da mulher — Jeremias, Isaías, Oseias, Zaqueu, Esdras e Vanderson — como imitava o Chacrinha, cantava "A jardineira" e sabia de cor a escalação da Portuguesa em 1954.

Foi nossa última experiência com animais de estimação.

A perna do seu Duílio

Era domingo e eu estava extremamente emburrado. Vinha esperando a semana inteira pelo especial de um ano do *Bambalalão*, com novos quadros, convidados especiais e um minibugue camuflado para o grande vencedor da gincana; aí, quando já tinha até arrumado meu canto do sofá, posicionado as almofadas preferidas, pegado a mantinha de lã e estava indo preparar a xícara com Leite Moça e Nescau, gozando por antecipação as duas horas de paz e glicose, minha mãe chega penteando o cabelo e diz que vamos sair: é aniversário do seu Duílio.

E por acaso eu conhecia algum Duílio?! Ela explicou tratar-se do pai do marido da minha tia, e que naquele dia ele faria aniversário. Eu expliquei que *Bambalalão* era meu programa predileto e que naquele dia ele também faria aniversário. Minha mãe sentou-se ao meu lado e deu início à inútil tática de *instigar meu interesse*, a mesma que usava para me convencer a comer coisas verdes e pastosas ou tomar xarope para tosse: "Olha que legal, o seu Duílio vai fazer oitenta anos! Sabe quanto é oitenta?

Todos os dedos das duas mãos abertas uma, duas, três, quatro, cinco, seis, sete, oito vezes!".

O frenético abrir e fechar de dedos podia servir para me fazer um cafuné, se ela quisesse, ou preparar massa de biscoito, mas não ajudaria em nada a me convencer de que conhecer uma pessoa muito velha fosse mais interessante do que assistir à corrida de saco na piscina de bolinhas, o pega-pega de olhos vendados ou ver o vencedor recebendo o Fapinha de pintura camuflada, que eu vinha cobiçando a semana inteira diante da TV.

Reagi, como sempre fazia naquelas ocasiões, elevando meu descaso à última potência. Olhei por cima do seu ombro, mudei de canal com o controle remoto, me esquivei de um carinho. Ao dar-se conta de que não seria enfocando no seu Duílio que conseguiria me ganhar, tentou fisgar meu interesse de outra forma: disse que lá ia estar cheio de crianças da minha idade. Céus, como podia uma pessoa tão inteligente não entender que poucas situações me apavoravam mais do que a ameaça de chegar a um lugar novo "cheio de crianças da minha idade"?

Invariavelmente, elas já se conheciam e recebiam este intruso com a hospitalidade reservada aos forasteiros em filmes de Velho Oeste. Se íamos brincar de esconde-esconde, elas sabiam os melhores lugares para se enfiar, e tinha sempre um mais velho que salvava o mundo vez após outra e eu acabava eternizado na condição de pegador. Uma hora alguém aparecia com uma bola, gritava "bobinho!", quando eu ia ver já estava no meio de um círculo, correndo de um lado pro outro, sem ar e com um nó na garganta, ouvindo "olé!". Isso quando o desconforto ficava só dentro da legalidade, pois não eram raros delinquentes que brincavam perigosamente com estilingues, me apontavam espingardinhas de chumbo ou zarabatanas e me obrigavam a pegar brigadeiros para todo mundo.

Muito injusto. Tinha me comportado a semana inteira, passado as tardes na escola fazendo desenhos de giz de cera, colando potes de Danoninho, me esmerando para executar da melhor forma possível todas as atividades propostas pelas professoras e, bem no domingo, meu dia de descanso, *Bambalalão Especial* de aniversário, era aquilo que eu recebia?

Chorei, esperneei, bufei, enfiei a cabeça debaixo da manta e me fechei num casulo de lã. Minha mãe abandonou a sedução e resolveu me pegar pela culpa. Explicou que o seu Duílio tinha me visto nascer, tinha me pegado no colo, pequenininho. Grande coisa, eu não me lembrava de ter nascido, não havia pedido que ele me pegasse no colo, problema dele. Minha mãe tentou me descobrir, eu esperneei mais ainda, comecei a atirar as almofadas no chão, gritei "não vou! Não vou! Não vou!", até que ela abandonou todas as técnicas de persuasão e baixou o bom e velho: "menino-engole-esse-choro-você-vai-e-pronto".

Fui no banco de trás da Brasília, encolhido e de olhos fechados, requentando um chororô, torcendo para que ela se virasse, me visse e pensasse, "caramba, acho que dessa vez a gente exagerou, o Antonio tá sofrendo de verdade, melhor voltar e deixá-lo assistir ao programa dele", mas nos breves momentos em que abri os olhos para conferir, ela não estava prestando atenção. Estava, na verdade, concentrada numa conversa com meu padrasto: "melhor não", ela dizia, "se a gente avisa, realça. Deixa acontecer naturalmente", "é, pode ser, bom, de qualquer forma o seu Duílio deve saber como lidar com essas coisas, não é de hoje, né...". Não entendi o que eles diziam nem me interessei, só pensava que no dia seguinte, na escola, todo mundo ia estar falando sobre a corrida de saco na piscina de bolinhas, ia comentar sobre a criança que ganhou o Fapinha e se ela mereceu mais que a outra e eu não poderia opinar, porque estava na festa de um homem cuja maior qualidade era ter tantos anos quanto todos os dedos das duas mãos abertas oito vezes. Que emoção.

Chegamos. Era aquela coisa de sempre: um monte de parentes e outros adultos mais ou menos conhecidos mexendo no meu cabelo, na minha bochecha e na minha barriga, dizendo que eu estava grande e bonito. Uma mulher ruiva e muito perfumada me deu um beijo babado na testa e disse que tinha me visto nascer — ela me viu nascer, o seu Duílio me viu nascer, eu devia ter sido parido diante de uma arquibancada, só podia ser. Um gordo cruzou a sala, me levantou e ficou repetindo, com bafo de cerveja, alternando olhares entre mim e meu padrasto: "É corintiano?! É corintiano?! Hein, é corintiano?! Diz: corintiano, ahn?!". Fui salvo por minha tia, a nora do tal Duílio, que veio lá de dentro, me tirou das garras do gordo e perguntou se eu queria um guaraná. Não seria má ideia, todo aquele berreiro tinha me deixado com a garganta seca. Íamos caminhando em direção à cozinha, mas no meio da sala minha mãe me puxou pelo braço, "vem dar oi pro seu Duílio, depois você toma guaraná".

O seu Duílio estava sentado numa poltrona, num dos cantos da sala. Era mesmo velho pra burro. Tinha os cabelos todos brancos e um monte de pintinhas no rosto. Minha mãe o beijou. "Parabéns, seu Duílio!" Depois, meu padrasto apertou sua mão. "Oitenta, hein, seu Duílio! Daqui a pouco é noventa, já!"

O velho ficou falando umas coisas sobre fazer oitenta anos, eu fiquei olhando pra ele, fingindo que ouvia, mas a minha cabeça estava longe, lá na sala de casa, assistindo *Bambalalão* e provavelmente por lá ficaria até o final daquela tarde se meus olhos não tivessem, acidentalmente, ido parar na perna esquerda do aniversariante — ou melhor, num pedaço da poltrona onde deveria estar sua perna esquerda. Olhei uma vez, olhei duas, olhei três. Longos segundos se passaram até que eu pudesse aceitar o que via: a perna esquerda do seu Duílio não existia.

Que coisa espetacular. Se a minha mãe tivesse perguntado: "O que você prefere, assistir *Bambalalão* ou conhecer um homem sem perna?", claro que eu ficaria com a segunda alternativa. Lembrei-me do homem que vira no circo, um dia, botando uma mulher de maiô numa caixa e a serrando ao meio. Seria seu Duílio aquele homem? Teria ele cortado a própria perna? Como? Será que ele conseguia tirar e recolocar a perna sempre que quisesse? Onde guardava a perna, quando não a usava? Numa gaveta do quarto, no banheiro, na área de serviço, junto à bicicleta? Conseguiria ele remover também outros membros?

Minha mãe me cutucou: "Ô, Antonio, não vai dar oi pro seu Duílio?". Como não? "Oi, seu Duílio! Cadê sua perna?!" Minha mãe me olhou com uma cara estranha. Achei que ela não tivesse ouvido o que eu acabara de dizer. Falei ainda mais alto: "Olha! Olha! Ele só tem uma perna! Mãe! Mãe! Cadê a perna do seu Duílio?". Todos na sala fizeram silêncio, até o gordo com bafo de cerveja, que narrava aos meus tios um gol do Casagrande no último domingo.

Ninguém mais se empolgava com aquela situação? Será que não haviam percebido? Seria o primeiro dia em que o seu Duílio saía sem a perna? Uma surpresa que preparou para a festa de oitenta anos, uma mágica, e eu havia sido o único a notar?

O silêncio foi quebrado pelo próprio Duílio. Ele me fez sentar no braço da poltrona e me contou a história inteira, respondendo a todas as perguntas que eu lhe fazia. Explicou que a perna fora cortada por causa de uma doença, mas que eu não deveria me preocupar, era uma doença que só dava em velhos. A operação aconteceu num hospital. Não, ele não precisou ir de bermuda, porque no hospital você fica pelado e te dão uma camisola. Sim, uma camisola, mesmo para os homens. Depois de vesti-la, médicos deram-lhe uma injeção no braço e ele dormiu, de um jeito que você não sente dor e não acorda nem se pularem na sua barriga. Os doutores pegaram facas e um serrote e serraram — veja bem, serraram! — a perna do seu Duílio. Aí é que vem a parte mais estranha: depois de tirarem a perna, não puseram um band-aid enorme, nem vários, nem esparadrapo, não: eles o costuraram, com agulha e linha, da mesma forma que minha mãe costurava pedaços redondos de couro nos joelhos dos meus moletons. A cor da linha era preta e seu Duílio não soube dizer se poderia ser azul, verde ou vermelha, caso ele assim preferisse.

Queria passar a tarde inteira ali, sentado no braço da poltrona, seguindo com a entrevista, mas minha mãe logo me pôs no chão e me mandou para o quintal, onde estavam as outras crianças. Nem foi tão ruim. Brincamos de esconde-esconde, fui pego só uma vez e não havia delinquentes com estilingues ou espingardinhas de chumbo.

No dia seguinte, na escola, mal se falou sobre o *Bambalalão*: só queriam saber da minha história com o homem de perna cortada. O único que não se interessou foi o Walter, do pré: deu de ombros e disse que ter a perna cortada não era nada de mais; toda noite, antes de dormir, a avó dele tirava os dentes e gengivas e punha dentro de um copo d'água. Claro, ninguém acreditou e ficou evidente que o Walter só queria roubar a atenção.

Happy hour

Meu ritual nos fins de tarde era sempre o mesmo: descia da perua escolar, corria pra casa, largava a mochila embaixo da escada, tomava banho, vestia uma roupa confortável, me aboletava no sofá e, enquanto a Vanda preparava o jantar, assistia a *Spectreman*.

A série japonesa, exibida pela TVS, mostrava as aventuras de um super-herói dourado defendendo a Terra de improváveis invasores: dois macacos alienígenas — um loiro platinado, o chefe, e, *au naturel*, seu desajeitado ajudante. A cada episódio os símios vindos do espaço traziam, sabe-se lá de onde, monstros diferentes para ajudá-los a subjugar a humanidade: dinossauros, insetos gigantes, moluscos mutantes e outras criaturas que, depois de apavorar os moradores de Tóquio, estraçalhar algumas casas e prédios de maquetes nada convincentes e dar muito trabalho ao Spectreman, acabavam perdendo a batalha e explodindo — sim, mesmo que atingidos somente por socos e pontapés, os monstros explodiam, algo que não fazia sentido sequer aos olhos de um garoto de cinco anos de idade.

O programa terminava sempre com o macaco loiro ensandecido, espinafrando o ajudante, socando o painel de controle do disco voador e jurando que da próxima vez Spectreman não o deteria: a Terra seria sua! Sua! Sua! Então, entorpecido pela própria voz, o gorilão oxigenado se esquecia das recentes derrotas, esfregava uma mão na outra, como convém a um bom vilão *trash*, e sua gargalhada malévola reverberava pelas caixas de som da nossa Telefunken 29 polegadas.

Era assim, vendo lulas gigantes se contorcerem em chamas e besouros de seis metros pisotearem casas de isopor, ao cair da noite, que eu ia deixando para trás as obrigações de cada dia, me esquecia das tarefas da escola, superava eventuais picuinhas do recreio e entrava no clima da cama, à qual me recolheria não muito depois do jantar.

Naquela tarde, contudo, quando desci da perua, dei com a mãe do Henrique me esperando na calçada: Vanda tivera que sair às pressas para visitar a prima no hospital, e eu deveria ficar na vizinha até minha mãe voltar do trabalho. Tudo certo, eu convivia com aquela família desde que me conhecia por gente e, apesar do leve incômodo que a quebra da rotina sempre traz, não me importei.

Henrique acenou para mim do sofá. Estava de banho tomado, o cabelo lambido para trás, assistindo a um desenho animado, na Record. Retribuí o cumprimento e me sentei a seu lado. A mãe dele foi para a cozinha e ficamos ali, quietos, vendo algum bicho perseguir outro bicho por uma sala, derrubando móveis, quadros e bibelôs, fazendo os "tóins!" e "tuns!" e "boings!" e "clashs!" correspondentes.

Era chato pra caramba, mas, por educação, esperei alguns minutos — até a hora em que, pelos meus cálculos, deveria estar começando o *Spectreman* — para perguntar se o Henrique não preferia o meu programa. "Hoje não passa *Spectreman*", ele disse, sem me olhar. Estranhei a frieza e, sobretudo, a ignorância do meu vizinho a respeito de um assunto que qualquer garoto brasileiro conhecia de trás para a frente: a grade de nossos míseros sete canais de televisão. "Passa sim, Henrique! Passa todo dia. Vai, bota lá!" Ele continuou sério, sem me encarar. "Não é agora, ainda falta um pouquinho." "Ahá! Se você sabe que falta um pouquinho, você sabe que passa hoje!" Silêncio. "Henrique?! Por que cê tá me enrolando?! Vai, põe no 4!" Sem alternativa, ele soltou um suspiro, me olhou de viés, pegou o controle e apertou o botão.

Mal haviam entrado os créditos iniciais — a frenética música tema comendo solta, Spectreman voando, rolando pelo chão, dando socos e chutes, vários monstros explodindo —, a mãe do meu amigo disparou lá da cozinha, secando as mãos num pano de prato, e só parou quando conseguiu colocar-se, ofegante, entre nossos olhos e a televisão: "Não, não, não, não: nem pensar!".

Aquela histriônica aparição, compreendi, era exatamente o que o Henrique tentava evitar se fazendo de sonso, segundos atrás. "Foi ele! Ele que mandou pôr aí!" "E se ele te mandar pular pela janela, Quique, você pula?!" A mulher jogou o pano por cima do ombro e, olhando pro filho, mas claramente se dirigindo a mim, pontificou: "Já falei que esse programa é muito violento! Tem monstro, tem luta, não faz bem! Vamos ver uma coisa mais adequada?". Então, virando o pequeno disco no painel do aparelho, foi mudando de canal até chegar a um desenho na Gazeta ou na Manchete: "Pronto, olha aí: *Pinóquio*. Agora sim, programa de criança!". Dito isso, pegou o controle da mão do filho, meteu num bolso do avental e sumiu cozinha adentro.

Não é que em casa vivêssemos um regime totalmente livre dos antolhos da censura. Se, diante da minha mãe, eu pusesse no programa do Gugu, por exemplo, recebia um olhar de asco e a pergunta — num tom em que já estava mais do que implícita a resposta —: "Guguuuuu?! Tem certeza de que você quer ver Guguuuuu, meu filho?!". À minha irmã, por sua vez, eram dedicadas doses iguais de escárnio sempre que ousava externar o sonho de ser Paquita. Proibição direta, contudo, como eu acabara de ver, com imposição de programação e expropriação do controle remoto, eu jamais havia experimentado, e o cerceamento da liberdade me pareceu muito mais violento do que qualquer pepino-do-mar com duas bocas comendo arranha-céus em miniatura, mas fazer o quê? Naquele lar a televisão estava onde deveria ficar a mesa de jantar, a mesa de jantar onde deveria estar o sofá, o quarto dele era onde, lá em casa, ficava o quarto dos meus pais e vice-versa — eram de se esperar alguns costumes bárbaros.

O sol se põe. Numa pequena cabana quase coberta pela neve, diante de uma lareira, Pinóquio e dois homens mal-encarados observam uma azeitona sobre a mesa. Um dos feiosos, um homem grande, gordo e com a barba por fazer, levanta uma machadinha e, com golpes certeiros, parte a azeitona em três. É o último alimento disponível na cabana e, por causa do frio, terão de esperar até o dia seguinte para sair em busca de mantimentos. Pinóquio vai pegar sua parte da "refeição", mas o outro homem, um magrelo de bigode fininho, tipo um irmão raquítico do Capitão Gancho, a toma para si: "Boneco de madeira não come!". O gordão gargalha, Pinóquio leva as mãos ao estômago vazio e, enquanto os malvados mastigam, de boca aberta, Henrique me olha, apreensivo.

A noite cai rapidamente, no desenho e na vila. A fome cresce, a nevasca só engrossa e a situação encrespa: agora, além de faltar alimentos, a lenha chega ao fim. "Com mil diabos, precisamos alimentar esse fogo!", brada o ladrão de azeitonas, dando um tapão na mesa. "Peguem tudo o que for de madeira e tragam aqui para perto da lareira, seus inúteis!", ordena, cofiando o bigode e espichando um olhar pouco alvissareiro para cima do boneco falante.

Aos poucos, são dadas às labaredas os pés da mesa, as tábuas do tampo, as cadeiras, depois um baú, o tapete e o abajur. O fogo, contudo, esmorece. Pinóquio treme de frio. Eu e o Henrique nos encolhemos, no sofá. "E agora, o que vamos queimar?!", pergunta o gordão. Meu vizinho se volta para mim: quer que eu o acalme, diga para ele ficar tranquilo, que nada irá acontecer, mas estou tão aflito quanto ele e, sentindo-me uma vítima naquela história, lhe nego qualquer cumplicidade.

Com a machadinha, os homens arrancam o batente da porta, depois a moldura das janelas. Logo se vão as tábuas do piso e as ripas do forro. Por fim, tiram a maçaneta e, enquanto as chamas consomem os últimos resquícios de madeira inanimada disponíveis na cabana, encaram Pinóquio com olhos lúbricos. O magrelo sorri: "Bem, eu ainda estou vendo lenha por aqui...". "Eu vou lá fora!", gagueja o boneco falante. "Eu vou até a cidade mais próxima e trago lenha!" Os homens se entreolham e riem. "Eu juro! Eu trago lenha e trago mantimentos, também! Queijo e leite e..." "Basta!", berra o malvado. "Você jamais iria sobreviver à nevasca, seu pobre-diabo! Os palitos das suas pernas iriam congelar e partir ao meio antes que completasse a primeira légua! Você só serve para uma coisa!" Longa pausa. "Alimentar esse fogo!" Close na machadinha. Intervalo.

Henrique salta do sofá, para na minha frente: "Que que vai acontecer, Antonio?! Que que vai acontecer?!". Perco a paciência que, durante anos, mantive diante daquelas perguntas: "Eu não sei, Henrique! Eu nunca vi esse desenho, caramba! Como eu vou saber?!". Desconsolado, ele volta pro lugar dele e se cobre com uma almofada, deixando só a cabeça de fora. Ficamos os dois calados, sem saber se torcemos para que as propagandas terminem depressa, antes que os malvados façam o pior, ou não acabem nunca. Feliz ou infelizmente, depois de um anúncio da Fábrica de Móveis Brasil — cujo humor negro, naqueles infinitos armários em pinho, cerejeira, compensado e ipê, não nos passa despercebida —, o desenho recomeça.

Os bandidos marcham na direção do Pinóquio, que vai andando para trás na mesma cadência. O magrelo vai na frente, com um brilho sanguinário nos olhos, o gordão logo atrás, batendo a machadinha na palma da mão. Close na machadinha. Close no Pinóquio. Close em mim e no Henrique. Pinóquio não tem mais como ir para trás. Nós também não. Ele se encolhe. Nós também. Seus olhos lacrimejantes refletem a lâmina da machadinha, a lâmina reflete as chamas da lareira. "Prepare-se para arder no inferno, boneco falante!", ameaça o franzino. "Pelo menos frio você não vai mais passar!", completa o gordão, levantando a machadinha e...

"Hora do jantar!", berra a mãe do meu vizinho, lá da porta da cozinha, apontando o controle para a TV e desligando-a num clique. Henrique grita, já chorando: "Liga! Liga! Ele vai matar o Pinóquio! Ele vai matar o Pinóquio! Liga! Liga! Liga!". Num pulo, ligo a TV pelo aparelho, mas antes de a imagem se firmar na tela a mulher a desliga de novo, pelo controle, vem até a sala, nos pega pelos braços e nos leva para a mesa.

Henrique chora por uns quinze minutos, me perguntando repetidamente o que aconteceu, se mataram o Pinóquio, se o lançaram vivo ao fogo, se o partiram em pedacinhos, antes de incendiá-lo, "Por que eles não queimavam a machadinha? Ainda tinha o cabo da machadinha!", a mãe dele o manda sossegar o facho e comer o brócolis, eu espalho a comida de um lado pro outro, com o garfo, fazendo valer meu direito constitucional de permanecer calado, acalentando um único desejo: que mais tarde, durante a noite, uma lula de seis metros apareça na janela daquela mulher, arrebente o vidro com seus tentáculos e a devore inteirinha, sem que Spectreman mexa sequer um de seus dedos dourados para salvá-la.

Blowing in the Wind

Não era o típico programa que meu pai fazia com a gente nos fins de semana, mas talvez estivesse cansado de peças infantis, restaurantes lotados ou de dar milho para as pombas da pracinha, por isso resolveu nos levar ao pico do Jaraguá: "pra ver a cidade inteirinha lá de cima". Minha irmã ia colada à janela da esquerda, minha meia-irmã à da direita, e eu ia deitado no banco de trás, com as pernas esticadas por cima do encosto e a cabeça pendendo entre os bancos da frente, próxima ao freio de mão. Hoje em dia, se a polícia para um carro e flagra uma criança nessa posição, o motorista deve perder a carteira, talvez até a guarda dos filhos, mas estávamos na primeira metade da década de 80: não se usava cinto de segurança nem protetor solar, pessoas não andavam por aí com garrafinhas d'água, como se fosse o elixir da vida eterna, fazíamos cinzeiros de argila para os pais nas aulas de artes e o colesterol era apenas uma vaga ameaça de gente paranoica, como a CIA ou a KGB, de modo que eu seguia feliz e contente, estrada acima, entretido com as árvores passando lá fora, de cabeça pra baixo.

Foi minha irmã quem viu primeiro — ou, pelo menos, pensou ter visto: "Ó lá ela chupando o pinto dele!!!". Minha meia-irmã passou por cima de mim e grudou a cara na janela: "Ah! Que nojo! Chupando o pinto!". Eu levantei o mais rápido que pude, mas só cheguei a tempo de ver uns vultos numa Variant bege, cinco metros pra trás, parada no acostamento. As duas, no entanto, juravam ter enxergado direitinho: o cara pelado no banco do motorista, a mulher abaixada, a chupar-lhe o pinto. Nós três começamos a pular e gritar, como chimpanzés amotinados. "Chupando o pinto!", "Hahahaha!", "Chupando o pinto dele!", repetíamos, sem acreditar que havíamos passado tão próximos daquele evento inencaixável na ordem geral das coisas. Era como ter presenciado a passagem de um disco voador, a aparição de um fantasma ou dado de cara com um leão no canteiro central de uma avenida. A gritaria continuou até o momento em que meu pai, com a naturalidade de quem discute amenidades com senhores de cinquenta anos — e com a perspicácia pedagógica de uma criança de cinco —, nos perguntou: "O que é que tem?".

Até aquele ponto de minha vida, chupar pinto não tinha nenhuma relação com a realidade concreta, muito menos com a sexualidade. A frase "chupa meu pinto!" pertencia ao terreno das ofensas, ao jargão do futebol, como "prensada é da defesa", "saída Bangu" e "vou te encher de porrada" — esta sim uma ameaça que poderia ser cumprida, embora raramente fosse. Chupar o pinto era metafórico, como "cospe e sai nadando" ou "vai ver se eu estou na esquina", e jamais tinha passado por nossas cabeças que alguém de fato se envolvesse em tal atividade — e por que se envolveria?

"Não sei do que vocês tão rindo tanto", continuou meu pai. Meti o corpo entre os bancos da frente e gritei, querendo crer que talvez ele não tivesse escutado direito: "Ela tava chupando o pinto dele! O pin-to!". Meu pai moveu a cabeça de um lado pro outro, como se fosse incompreensível nosso alvoroço: "Antonio, chupar pinto é uma coisa muito normal. E saudável. Todo casal faz isso".

Acreditem: era só o começo. O pior, o que subverteu todo o arcabouço conceitual construído em meus primeiros anos de vida, o que, caso estivesse num desses aparelhos de ressonância magnética, faria com que fogos de artifício fossem vistos nos dois hemisférios do meu cérebro, o que, dada a intensidade de emoções, provavelmente fixou toda a história em minha cabeça, desde a posição em que me encontrava no banco da Brasília até a cor do céu quando chegamos ao mirante, lá no alto, viria a seguir: "Normal, sim. A Sônia chupa meu pinto. A sua mãe chupa o pinto do marido dela. Sua avó chupa o pinto do seu avô. A tia Lurdes chupa o pinto do Augusto, a sua professora, a Carla, chupa o pinto do Nelson, ah!, os homens que namoram homens, então, como o Miltinho e o Ivan, chupam muito o pinto um do outro, porque eles são homens e não têm xoxota, enfim, todo mundo que namora faz isso. E é muito gostoso. Não tem por que rir". Uma breve pausa; gran finale: "Pinto é pele, pessoal!".

Chegamos ao pico do Jaraguá. Eu olhava São Paulo lá longe, sob o céu cinzento, e só conseguia pensar que por trás de cada janela, dentro de cada carro, debaixo de cada teto, atrás de cada porta havia pessoas que chupavam ou eram chupadas; meus pés se apoiavam sobre a crosta de um planeta onde 2,5 bilhões de seres humanos colocavam os pintos dos outros 2,5 bilhões na boca. Talvez fosse o vento, ou a memória tenha inserido o áudio sobre a imagem a posteriori, mas a trilha sonora que eu ainda ouço, acompanhando aquela fotografia da minha cidade vista de cima pela primeira vez é o som de um canudo do tamanho de um prédio puxando o último gole de um lago de milk-shake: sssccchhhhhlllllllllllllluuuuuuuuurrrrrrrrrrrrrrrrrrrrrrrrp.

Na volta, ninguém abriu a boca, mas assim que o carro parou em frente à nossa casa, descemos correndo e invadimos a sala com os olhos esbugalhados — quase tão esbugalhados quanto ficaram os de minha mãe, meu padrasto e mais uns dois casais de amigos, que tomavam vinho e conversavam, ouvindo um LP do João Gilberto: "Mãe! Mãe! É verdade que você chupa o pinto dele?!". "E ela, mãe?! Ela chupa o pinto dele?!" "A vovó chupa o pinto do vovô?!" "A minha avó também, pai?! A minha avó também chupa pinto?!" "Todo mundo?! Todo mundo chupa pinto?!" "Mãe, mãe, quando eu crescer eu também vou ter que chupar pinto?!" "Com que idade?! Com que idade começa a chupar pinto?!"

Waldir Peres, Juanito e Pölöskei

De início, todos na rua tinham o mesmo poder aquisitivo e os bens per capita se resumiam a uma bicicleta, uma bola de futebol e uma caixa onde se misturavam Playmobils, peças de montar e outras quinquilharias. Com o lançamento do álbum de figurinhas da Copa de 82, contudo, percebemos uma ligeira diferença na distribuição de renda: uns recebiam cinco pacotinhos por dia, outros tinham direito a dez, mas nada que ameaçasse nosso equilíbrio socioeconômico. No fim das contas, sofrendo com a escassez das mais raras — Sócrates, Maradona e Paolo Rossi — e desprezando as repetidas — Waldir Peres, Juanito e Pölöskei —, todos aprendíamos a lei da oferta e da procura e compreendíamos os prazeres e as durezas da classe média. Até o dia em que o Rodrigo apareceu com o jipe de controle remoto.

    O pai do Rodrigo, meu vizinho da esquerda, era tenista. Dos doze aos dezenove, levou tudo o que disputou e os entendidos diziam que ele seria um dos maiores jogadores da história, mas no seu vigésimo aniversário teve um acidente de moto, machucou o ombro e nunca mais pôde competir. Desde então, passava os dias em casa, fumando maconha e escutando rock progressivo. A família era sustentada pela mulher, fonoaudióloga. Nenhum dos vizinhos botou muita fé, portanto, quando o pai do Rodrigo os chamou, um a um, para falar de negócios. Toda noite, durante uma semana, a cena se repetiu. Ele recebia o possível sócio na sala de TV, oferecia uma cerveja e puxava um papo sobre futebol, que parecia ser apenas aquecimento para o assunto principal. Então, como quem não quer nada, perguntava ao vizinho se tinha visto o jogo do Corinthians, no domingo anterior. Qualquer que fosse a resposta, emendava: "Pois eu não vi, mas vou assistir agora". A expressão de curiosidade do interlocutor era a deixa para que subisse o pano — uma toalha velha, sob a qual se escondia um objeto retangular, prateado, em cima da televisão: "Isso aqui é um aparelho de videocassete", explicava, apontando a novidade recém-trazida dos Estados Unidos por seu cunhado. "Grava programas e roda filmes que você pode comprar ou alugar em qualquer esquina, hoje, nos Estados Unidos." A demonstração começava pelo jogo do último domingo, passava por uns trechos de *Star Wars* e tinha o clímax, apropriadamente, em *Garganta profunda*, trazido pelo cunhado na mesma viagem. "Em pouco tempo", dizia, "todo mundo vai ter um videocassete. Todo mundo! E qual é o tipo de filme mais lucrativo dessa indústria?" — perguntava o ex-tenista, abanando-se, não muito discretamente, com a capa da fita pornô. Se cada um dos vizinhos entrasse com 10 mil cruzeiros (o preço de uma geladeira, na época), abririam uma locadora de "filmes adultos" e, em um ano, jurava, estariam ricos.

Nenhum dos moradores da rua topou. Uns por pudor, outros porque a ideia vinha de um cara que passava os dias chapado, no sofá de casa, ouvindo Jethro Tull e solando guitarras imaginárias. Uma noite, naquela semana, ouvi o pai do Henrique, meu vizinho da direita, comentar com a mulher: "Até que é legal a traquitana, mas é coisa de gringo, vai por mim, por aqui essa moda não pega".

O pai do Rodrigo, contudo, não se abalou: conseguiu dinheiro com o cunhado, pegou mais algo do banco, convenceu a esposa a vender o carro e abriu a locadora. Seis meses depois, quando chegou o Natal, ainda não estava rico, mas já tinha dinheiro suficiente para, por exemplo, dar ao filho um jipe de controle remoto, 4 × 4 — abalando assim, pela primeira vez e definitivamente, a paridade socioeconômica entre os meninos da rua.

No dia 25 de dezembro, enquanto os adultos comiam os restos do peru de Natal, as crianças estreavam pelas calçadas os presentes recebidos na véspera. Eu estava concentrado, tentando desencaixar o cabelo de um Playmobil, quando surgiu o zumbido — o barulho que faria uma abelha, caso tivesse o tamanho de um gato. A um metro de nós, encarando-nos como um animal prestes a dar o bote, estava o jipe, de uns quarenta centímetros. Foi um pouco para trás, fez uma curva para a esquerda e começou a nos circundar. Quando voltou ao ponto de partida, o Rodrigo apareceu detrás de uma árvore, com o controle remoto na mão e um indisfarçável orgulho no rosto. Veio andando até nós, a ponta da língua no canto da boca, fazendo o jipe dar uns cavalos de pau. Chegando à nossa frente, tirou os olhos do controle, nos encarou com infinita superioridade e disse apenas: "É americano".

Contemplamos o brinquedo por um bom tempo, enquanto o Rodrigo contemplava o poder do brinquedo sobre nós. Foi o Henrique quem teve coragem de fazer a pergunta que estava na cabeça de todos ali: "Posso brincar?". Era a deixa pela qual o Rodrigo esperava: "Não, você não sabe, vai quebrar". Dito isso, virou as costas e saiu andando pra casa, o carrinho ao lado, acompanhando seu passo, como um cachorro bem treinado. O jipe seria um evento isolado na rua, apenas a ascensão social de uma das famílias, que logo se mudaria para outro bairro, deixando para trás algumas lembranças e uma ponta de inveja, se o pai do Henrique não estivesse também, por aquela época, começando a ganhar dinheiro.

O pai do Henrique era professor universitário, mas tinha abandonado a faculdade dois anos antes para tocar uma loja de tapetes herdada do avô, libanês. No começo, penou para entender como a coisa toda funcionava, quase teve que fechar, mas, depois de um ano ralando, as vendas começaram a melhorar, ele abriu uma filial num shopping novo, na Zona Norte, e o primeiro sinal da prosperidade chegou à rua seis meses depois do Natal do jipe, no aniversário do Henrique.

Era um fim de tarde, em junho. Eu e o Rodrigo disputávamos no bafo uma figurinha do Fillol, goleiro da Argentina, enquanto os outros nos observavam, de pé ou sentados nos bancos de suas bicicletas. Foi quando ouvimos o zumbido, muito mais alto que o do jipe do Rodrigo — era o barulho que fariam três abelhas se tivessem o tamanho de três gatos. Quando nos viramos, demos com o Henrique, de óculos escuros e farda bege, montado numa motinho elétrica, cópia fiel daquela usada pelos CHiPs, os guardas rodoviários do seriado. Sem dizer nada, acelerou e passou reto por nós. Foi até o jardim no fim da rua, que chamávamos de Matão, depois voltou, altivo e sereno como os patrulheiros Jon Baker ou Frank Poncherello, no programa da televisão. O Rodrigo fingiu que não era com ele, mas quando bateu na figurinha, Fillol ficou colado ao suor de sua mão.

Dali em diante, ninguém mais queria saber do jipe, só pensávamos em andar na moto dos CHiPs. Às vezes, o Henrique deixava um de nós dirigi-la, mas só às vezes, e mesmo assim ficava correndo ao lado: "Não acelera muito, senão quebra!", "Cuidado com o buraco!", "Só até a árvore, depois devolve!".

O reinado do Henrique durou vários meses e não parecia ameaçado antes do Natal, mas no começo dos anos 80 a indústria pornô ia de vento em popa: já em setembro, portanto, numa quarta-feira sem nada de especial, veio a resposta do Rodrigo.

Era por volta do meio-dia e realizávamos o serviço fúnebre do Fonseca, periquito-australiano do Ernesto, um menino ruivo que morava no início da rua. Periquitos-australianos não tinham o status de cachorros e gatos, nem mesmo de tartarugas ou hamsters, e o Ernesto havia organizado a solenidade menos por apego ao pássaro, que amanhecera duro no fundo da gaiola, do que pelas possibilidades lúdicas do enterro. O funeral seguia a pé da casa do Ernesto até o Matão, uns quarenta metros adiante, onde nos esperava uma pequena cova, já aberta com gravetos e palitos de sorvete, num canteiro de violetas. O defunto ia numa caixa de sapato, a moto do Henrique fazendo as vezes de rabecão. O Ernesto caminhava ao lado, com a mão no guidão, controlando a velocidade — uma regalia que o Henrique lhe havia concedido, não sei se por respeito à sua condição de enlutado ou como garantia para que o finado fosse na motoca.

Já estávamos quase chegando ao Matão quando o murmúrio elétrico da motinho foi solapado por um ronco alto, tão alto que seria inútil tentar compará-lo ao zumbido de abelhas, ainda que fossem grandes como tigres: o que ouvimos era o estrépito inconfundível de um motor a explosão. O féretro estancou, nos viramos e demos com o Rodrigo, de capacete e luvas, a bordo de um minibugue Fapinha, vermelho. (Dizer que o minibugue estava para a infância como a Ferrari está para a idade adulta é um equívoco, porque depois de crescidos nem todos nos interessamos por carros, mas não havia um único menino entre os cinco e os dez anos que não sonhasse com um Fapinha; não exagero, portanto, ao afirmar que não existiu nem existirá objeto mais cobiçado por todos os homens nascidos na década de 60 do século passado.)

Bastava ao Rodrigo passar ao lado do enterro e já seria suficiente para acabar com os dias de glória da motoca do Henrique, mas ele queria mais, ele vinha amargando a derrocada de seu jipe e a imagem do outro pra cima e pra baixo vestido de CHiPs fazia mais de três meses: não só deu carona a todos na traseira do carrinho, quase arriando o minibugue recém-tirado da loja, como ofereceu o banco do passageiro para levar Fonseca, o ex-periquito. Henrique foi atrás, sozinho em sua moto, respirando a fumaça. Depois disso, andou quieto por semanas, chutando pedregulhos, quebrando gravetos, partindo minhocas e esmagando formigas. Ele sabia que a competição tinha chegado ao fim. O que seu pai poderia comprar? Um mini-helicóptero? Um minissubmarino? Não havia mais para onde ir, o teto fora atingido: o único caminho a trilhar, a partir de agora, era para baixo.

No dia 23 de dezembro, depois do jantar, o Henrique apareceu lá em casa, ansioso. Eu ainda estava à mesa e minha mãe havia acabado de ir para a cozinha, levando os pratos. "Tenho um plano", ele cochichou, olhando lá pra dentro, com medo de ser ouvido, e fez um sinal para que o seguisse até a rua.

Paramos em frente à casa do Rodrigo. Eu lembrei ao Henrique que nosso vizinho estava viajando. Tinha ido com a família passar o Natal em Bariloche. Henrique sorriu de leve. "Por isso mesmo", disse, pegando um cabo de vassoura escondido nuns arbustos e apontando a porta da casa: uma armação de ferro com quatro retângulos de vidro opaco, dispostos um sobre o outro. "Se a gente quebra, dá pra entrar." Não entendi. O espaço sem o vidro seria suficiente para que nos esgueirássemos para dentro da casa, mas jamais para que trouxéssemos o bugue. "Não é o bugue", ele murmurou, entre os dentes. Só então compreendi: o que meu amigo pretendia era um ataque de efeito moral. Havia perdido a guerra, sabia disso, e a vingança seria capturar, um ano após o início das hostilidades, o estopim do conflito, seu maior símbolo, que nos aguardava no segundo andar, no fundo de um armário no quarto do Rodrigo: o jipe de controle remoto. Talvez

Henrique o escondesse embaixo de sua cama, talvez o destruísse a marteladas e enterrasse os restos no Matão, não sei: o importante era roubá-lo.

Tive medo de participar e ainda mais medo de tentar impedi--lo e parecer covarde, de forma que fiquei ali, parado, enquanto ele investia contra o vidro da porta, usando o cabo de vassoura como aríete. Da primeira vez, não aconteceu nada. Da segunda, tampouco. Então ele recuou até a calçada, tomou impulso e, aí sim, conseguiu o que queria. Ou quase: pois assim que o vidro se espatifou em milhares de caquinhos, o barulho reverberou pela rua e saímos correndo, cada um para sua casa. Não sei bem como, mas fomos descobertos, enquadraram-me como cúmplice e o conserto da porta foi rachado entre os meus pais e os do Henrique.

No mês seguinte, a família do Henrique, com lojas de tapetes espalhadas por toda a cidade, mudou-se para uma cobertura no Morumbi. Não muito depois, Rodrigo e os pais também partiram, para uma casa com piscina no Jardim América — tinham então sete locadoras pornôs em São Paulo, duas no Rio e outra em Brasília.

Uma semana após a mudança do Rodrigo, apareceu na rua um corretor de imóveis, acompanhado por um casal. Mostrou a casa aos possíveis compradores e, ao sair, o vi escondendo a chave no quadro de luz. Tarde naquela noite, sem acordar meus pais, escapuli da cama, peguei a chave e entrei na casa vazia. Cruzei a sala, no escuro, para não chamar a atenção dos vizinhos, subi a escada, fui até o quarto do meu amigo e abri o armário onde ficava o jipe. Sabia que a probabilidade era mínima, quase nula, mas o que custava?

Encontrei um pé de meia azul, um Playmobil careca e algumas figurinhas da Copa de 82: duas do Waldir Peres, três do Juanito e dezessete do Pölöskei.

Shakespeare nas dunas

Férias de verão, minha mãe e meu padrasto alugaram uma casa em Arraial do Cabo para passarmos o mês de janeiro. Na véspera da viagem, arrumaram as malas, fizeram uma grande compra de supermercado e mandaram besuntar o Passat verde-musgo com óleo de mamona — suposta proteção contra a maresia que, até hoje, não sei se era uma particularidade da nossa família ou uma dessas bizarrices comuns no final do século XX, como passar Coca-Cola na pele antes de tomar sol ou fazer polichinelos nas aulas de educação física. Na manhã seguinte, com o porta-malas lotado, a lataria viscosa e os ânimos exaltados, pegamos a estrada.

Nossa casa ficava no alto de uma encosta, bem diante do mar. Tinha um quintal com pomar atrás, e uma varanda na frente, sombreada pela copa de uma amendoeira centenária. Todos os dias acordávamos cedo, tomávamos café da manhã na mesinha embaixo da amendoeira e, depois de uns cinco minutos ziguezagueando pela trilha do morro, chegávamos à praia, com as dunas de areia branca só para nós, meia dúzia de forasteiros e os pescadores. Armávamos o guarda-sol, abríamos as cadeiras e esteiras e ali ficávamos, quase até o anoitecer.

Nas infinitas manhãs, enquanto minha mãe e meu padrasto liam, eu e minhas irmãs nos dedicávamos às típicas atividades de criança na praia: nadávamos, rolávamos na areia (chamávamos de "fazer croquete"), construíamos castelos, cavávamos buracos, realizávamos autópsias nos baiacus inchados trazidos pelo mar. Lá pelas três, meu padrasto fechava o livro: "E aí, quem quer uma birita?". Caminhávamos até uma birosca de pau a pique, comíamos pastéis, eles bebiam caipirinha e nós, Fanta Uva.

No finzinho da tarde, havia o arrastão. Eu e meu padrasto ajudávamos a puxar a rede — bem, ele ajudava, eu só ficava por ali, agarrado à velha corda azul, fingindo que meus pequenos músculos faziam alguma diferença na luta dos homens contra o mar. Quando a rede chegava, carregada — um borbulhante lago prateado, refletindo os últimos raios de sol —, recebíamos uma ou duas tainhas por nossa contribuição e íamos para casa, assá-las. Depois de jantar, eles nos liam alguma história dos irmãos Grimm ou do Monteiro Lobato e capotávamos, para acordar cedo no dia seguinte e começar tudo de novo.

Por mais divertidas que fossem nossas atividades praianas, um mês é muito tempo e era inevitável que em algum momento fôssemos visitados por aquele implacável companheiro da infância: o tédio. No final de uma manhã, lá pela terceira semana, cansados do mar, da areia, dos "croquetes", pastéis, picolés e barrigas dos baiacus, nos encarapitamos sob o guarda-sol e, emburrados, pusemos em prática a única estratégia que conhecíamos para espantar a infelicidade: azucrinar a vida dos adultos até que eles nos trouxessem alguma solução.

Minha mãe propôs que caminhássemos até as pedras, que fizéssemos um castelo, disse até que poderia ler algo dos irmãos Grimm ou do Monteiro Lobato, mas o tédio tem uma bunda imensa: quando assenta as nádegas sobre nossas cabeças, achata toda a circunferência do mundo conhecido; para escapar de seu adiposo domínio, só encontrando alguma atividade inédita, em mares nunca dantes navegados. Conhecendo intuitivamente o antídoto, minha meia-irmã bateu os olhos no livro que seu pai tentava ler e perguntou o que era. *Romeu e Julieta*, ele disse, e não o deixamos mais continuar a leitura: "Sobre o que é? Por que eles não podiam casar? Onde fica Verona? Dá pra chegar de carro? E de barco? Pra que lado? É antes ou depois da África?".

Simplificando um pouco a linguagem, meu padrasto nos resumiu o começo da história: as famílias rivais, a festa à fantasia, o filho dos Montéquio, a jovem Capuleto, o amor proibido. Em cinco minutos, após mais de uma hora de lamúrias, havíamos ficado quietos e atentos. Não sei se instigado por nosso interesse ou simplesmente temeroso de que voltássemos ao tédio profundo, meu padrasto resolveu abandonar a versão resumida e começou o livro pelo começo — inserindo, aqui e ali, algumas notas de rodapé.

Daquele dia em diante, quando voltávamos da birita, entupidos de Fanta Uva e pastel, sentávamos nas esteiras e, até o sol se pôr, ouvíamos a continuação da história. Mais tarde, ao nos deitarmos na cama, não queríamos saber de feijões encantados ou das reinações de Narizinho: só nos interessava o futuro do casal.

Hoje, acho que entendo o porquê do nosso interesse por Romeu e Julieta. Filhos de pais recém-separados, não nos eram nada distantes, perdidas no século XVI, situações como "amor impossível", "relações inconciliáveis", "a casa dos Montéquio" e "a casa dos Capuleto". Por mais civilizados que tivessem sido os divórcios do meu pai e da minha mãe, do meu padrasto e de sua ex-mulher, em algum lugar devíamos nos solidarizar com dois jovens cujas vidas eram afetadas pelas rixas de seus antecessores.

Ou, talvez, nem precisássemos ir tão longe. Afinal: o que é a infância senão uma sequência de desejos cerceados pelos adultos? Os dias foram se passando e nós fomos ficando cada vez mais ligados ao livro. Para alongar a narrativa, minha mãe e meu padrasto se aprofundavam em detalhes, descreviam roupas e cenários, cantarolavam as músicas dos bailes, assoviavam os pios dos passarinhos, inventavam comidas, animais e plantas da floresta. Embora percebêssemos a artimanha e reclamássemos às vezes — "pula, pula, isso é *sobre!*", eu dizia —, eles conseguiram levar Romeu, Julieta e as três crianças firmes e fortes até o fim das férias.

No penúltimo entardecer, subimos para casa com o coração na boca: o mundo tramava contra o amor proibido, Romeu havia sido obrigado a fugir para Mântua, Julieta estava prometida a Páris, mas o plano do frei Lourenço era excelente! Daria à moça um falso veneno, que a faria parecer morta. Romeu a encontraria no jazigo dos Capuleto, a acordaria do sono profundo, fugiriam para longe de Verona (Arraial do Cabo, talvez?) e seriam felizes para sempre. Não era assim, afinal, que terminavam as histórias?

Eis o que se perguntavam meu padrasto e minha mãe, vez após outra, naquela insone noite de verão. Como sair da arapuca em que haviam se colocado? Deveriam profanar Shakespeare, censurando o final, fazendo, talvez, com que a carta de Julieta chegasse a Romeu via pombo-correio, em vez de viajar no bolso de um emissário? Cometeriam um hediondo anacronismo colocando ao lado da sepultura um providencial orelhão, cujo toque, no momento em que Romeu erguesse a adaga, mudaria, deus ex machina, os rumos da história? Ou o correto seria seguirem fiéis ao enredo, Shakespeare é Shakespeare, a arte está acima de tudo, não se pode esconder a verdade das crianças, e, no fim das contas, elas sairiam fortalecidas da experiência?

Lembrem-se, era o início dos anos 80. Maio de 68 estava

mais próximo de nós que a obrigatoriedade de cadeirinha para bebês no banco de trás dos carros, a discussão, portanto, sobre o que seria mais danoso às crianças — a violência da história ou da mentira — entrou noite adentro, escorando-se em Harold Bloom e Paulo Freire, Bakhtin e Piaget, Nietzsche, Freud e sabe-se lá mais quem. Já estava amanhecendo quando chegaram a uma conclusão.

Pela última vez, tomamos café sob a amendoeira, descemos a trilha até a praia, cruzamos as dunas, armamos acampamento. Lá pelas três, depois da birita, como de costume, sentamos em volta dos dois, prontos para ouvir o aguardado final de *Romeu e Julieta*.

Não lembro quem contou, se minha mãe ou meu padrasto. Lembro é de um frio polar no estômago, de um clarão no céu, do mundo revolto como as entranhas de um baiacu. Minha irmã mais nova perguntava, lívida, ainda sem acreditar, "mãe, mãe, que que é adaga?!", minha meia-irmã caminhava a esmo, "nããão! Romeu! Nããão! Julieta!", os adultos atrás, atarantados como vaqueiros no estouro da boiada, "mas olha, as famílias fizeram as pazes!", "olha, é só uma história, é de mentirinha! Quem aí quer um picolé?!". "Mortos! Mortos!", gritávamos, rolando pelas dunas, areia grudando no rosto, pequenos e trágicos croquetes pranteando o casal de Verona, que morria junto ao último sol daquele verão.

Banhos

Passei boa parte das férias da infância em Lins, cidade do interior onde moravam meus avós paternos. Como Lins fica a 430 quilômetros de São Paulo, não seria incorreto dizer que passei boa parte das férias da infância dentro do carro, indo ou voltando de Lins.

Da cidade, guardo poucas lembranças: o piche do asfalto, derretido pelo sol, a terra vermelha, o cheiro das centopeias embaixo das pedras do jardim e o cheiro de naftalina nas roupas de cama. Já da estrada, das infinitas horas que separavam a nossa casa da dos nossos avós, recordo de muita coisa.

O começo da viagem era sempre animado. Eu e minha irmã, que não víamos nosso pai durante a semana, falávamos sem parar sobre os acontecimentos mais importantes dos últimos dias: "Eu tô com dois dentes moles!", "A tia Carla tá grávida!", "O Cauã é muito burro, ele desenhou um homem com o bigode em cima do nariz!".

Quando sossegávamos um pouco, meu pai contava uma ou outra novidade. Dizia que tinha falado com a nossa avó e ela havia feito a gelatina de canela, que esse ano o presépio estava ainda mais caprichado, com uns boizinhos e vacas que o meu avô tinha mandado fazer em Bauru, e a gente ficava ali, vendo o mato passar borrado pela janela e imaginando o que faria primeiro quando chegasse, se corria para o presépio ou atacava as gelatinas.

Quatrocentos e trinta quilômetros, contudo, são quatrocentos e trinta quilômetros, de modo que mais cedo ou mais tarde aquele nosso velho amigo, o tédio, se aboletava no banco de trás. Com as vozes arrastadas, perguntávamos: "Pai, falta muito?". Sabíamos a resposta, mas não nos importávamos. Queríamos justamente ouvi-lo dizer quanto faltava, pois meu pai tinha inventado uma unidade de medida muito mais interessante do que quilômetros, horas ou minutos para quantificar a duração de uma viagem: "Acho que faltam uns... dezesseis banhos".

Fazíamos uma cara séria, como convém a viajantes escolados, e perguntávamos: "De chuveiro ou banheira?". "Banheira. E caprichado, de lavar atrás da orelha e entre os dedos dos pés." Então começávamos a simular os banhos, ao mesmo tempo que os narrávamos, desde o momento de tirar a roupa até pentear os cabelos. Pelo retrovisor, ele fiscalizava cada passo: "Tô entrando!", dizia minha irmã. "Na banheira vazia?! Tem que encher!" A manivela do vidro direito era a água quente, a do vidro esquerdo, a fria. Enquanto o vento entrava no carro, testávamos a temperatura da água, mexendo os pés no vão entre os bancos. "Esfrega mais essa cabeça, filha! Quero ver fazer espuma! Fecha o olho, filho, não vai deixar entrar sabão!"

O banho só era considerado terminado quando estivéssemos limpos, vestidos e penteados. Alongar o processo era fácil, sempre faltava "esfregar as costas", "passar creme rinse", "limpar embaixo das unhas" ou "peraí, não vai fechar o zíper dessa calça?!" para nos manter ocupados por mais alguns quilômetros. O problema era quando ele errava a conta, já estávamos na entrada da cidade e ainda tínhamos que tomar três ou quatro chuveiradas. Nessas ocasiões, fazíamos o chamado "lava a jato", método expresso de assepsia em que era permitido lavar o corpo com a espuma do xampu e recomeçar o processo sem ter que se vestir de novo. Uma ou outra vez ele chegou a estacionar o carro na esquina da casa da nossa avó, depois de seis horas de viagem, para que terminássemos de secar os cabelos com nossas toalhas imaginárias.

Então chegávamos, corríamos casa adentro, comíamos as gelatinas e víamos as melhorias do presépio. Mais tarde, antes de dormir, tomávamos banho de verdade, com água e sabonete: um banho chato, que parecia alongar-se por muito mais quilômetros que os do banco de trás no carro do nosso pai.

Sorvete e bala

Eu e a minha irmã deveríamos passar julho inteiro em Lins, mas no fim da primeira semana meu pai apareceu para nos buscar. Chegou no meio do almoço e, no entanto, nem o nosso avô nem a nossa avó pareceram surpresos. Quisemos saber o porquê da volta repentina, e ele perguntou: "Quem quer tomar um sorvete em Bauru, no caminho pra São Paulo?!".

Depois da sorveteria, pegamos a estrada e ele começou com um papo esquisito: "Sabe, nem todos os bandidos são maus. Alguns roubam porque não têm dinheiro pra comer". "E por que eles não arrumam um emprego pra ganhar dinheiro?" "Porque eles não sabem fazer trabalho nenhum, eles não foram pra escola, que nem vocês e eu." "E por que os pais deles não puseram eles na escola?" "Porque os pais deles também não foram pra escola, então a única forma que têm de conseguir comida é roubando coisas dos outros e vendendo. O que eles fazem é errado, claro, mas não é por maldade. Um dia, se todo mundo puder estudar e tiver pais e mães legais, não vão mais existir esses ladrões." Pausa. "Por outro lado, algumas pessoas são más. Existe gente no mundo capaz de fazer coisas muito ruins sem se importar com nada, e eu não sei explicar por quê." Longa pausa. Então meu pai nos contou que, na véspera, uns bandidos tinham entrado na fazenda do Fábio Pequeno. O Fábio se assustou e saiu correndo. Um ladrão atirou. A bala entrou pela barriga e saiu pela coxa. "Ele vai ficar bom?", perguntou minha irmã. "Vai!", garantiu meu pai, com um pouco mais de certeza do que seria aconselhável para nos deixar tranquilos.

Algumas horas depois, paramos num posto. Meu pai foi ao balcão, pegar os mistos e as Cocas, eu e minha irmã ficamos na mesa, olhando os carros passarem na estrada. Quando ele voltou, ela quebrou o silêncio:
— É verdade que, depois que a gente morre, a gente vai pro céu?

Meu pai tirou os pratos da bandeja, colocou-os à nossa frente, botou canudinhos nas Cocas.
— Olha, ninguém sabe direito. Cada um diz uma coisa. Tem gente que diz que a gente vai pro céu, sim.
— Pro céu, onde? Onde passa o avião?
— Mais pra cima, filha.
— Onde os astronautas vão, de foguete?
— Depois, bem depois.
— É onde mora o Deus?
— É, por ali, dizem.

Minha irmã deu um gole na Coca e retomou o questionário:
— E se construir um foguete muito, muito, muito grande, dá pra ir até lá?
— Não, não dá. Nem pra ver com telescópio. É um céu muito, muito longe.

Eu não estava convencido daquele papo celeste:

— E que mais?
— Que mais o quê?
— Que mais que dizem que acontece quando a gente morre?
— Tem gente que diz que sua alma sai do corpo e você nasce de novo.

Minha irmã:
— Que que é alma?
— É o pensamento. O pensamento sai do seu corpo e entra num bebê que estiver nascendo bem naquela hora.
— Em outra casa?
— Em outro país, até.
— Eu não quero! Não quero que o meu pensamento nasça em outra casa, em outro país!
— Calma, filhota. Ninguém sabe se é verdade. E se você nascer de novo, você não é mais você, você nem lembra de nada da vida passada, é o que dizem.
— Mas não é o seu pensamento?
— É e não é. Não sei, é complicado.

Ficamos mais um tempo em silêncio, mastigando nossos mistos e o imbróglio metafísico.
— Que mais? — perguntei.
— Que mais que dizem?
— É.
— Dizem que talvez sua alma não nasça de novo num bebê, mas num bicho ou até numa planta. Na próxima vida você pode ser gato, elefante, até samambaia, não é legal?
— Não! — protestou minha irmã. — Eu não quero ser samambaia!
— Ué, quem disse que você não foi samambaia na sua última vida?

Eu ri, apontei o dedo para a cara dela.
— Samambaia! Samambaia!

Os dois me olharam, sérios, como se só eu não percebesse que o momento não era para esse tipo de brincadeira. Calei-me.
Minha irmã retomou a sabatina:
— E você, acredita em quê?
Sob nossos olhares atentos, meu pai terminou de mastigar, engoliu, tirou duas folhas do guardanapeiro, limpou a boca:
— Em nada.
Minha irmã ficou inquieta.
— Como assim, em nada? Quando morre, acontece o quê?
— Acaba.
— E pra onde vai o seu pensamento?
— Sabe quando você tá dormindo e não tá sonhando? Então, é assim. Não precisam fazer essa cara! Não é ruim, não, porque você não sente dor, nem frio, nem saudade, nem fome, nem nada. E você não tem que fazer lição de casa, nem tomar banho, nem comer comida que não gosta.
— Mas você nunca mais pode brincar, nem ver a sua mãe, nem ninguém!
— É, filha, só que você não sabe, porque você não pensa nem sente mais. Olha só, vocês não precisam se preocupar com isso, o Fábio Pequeno vai ficar bom, vocês ainda são muito pequenos e só vão morrer quando forem bem, bem, bem, bem velhinhos.
Minha irmã continuava aflita.
— Você não é criança. Eu não quero que você morra. Promete que não vai morrer?
— Filhota...
— Promete? Promete pra mim que nunca, nunca vai morrer?
Meu pai ficou um tempo quieto. Pôs o sanduíche de volta no prato, segurou as nossas mãos e respondeu, convicto:
— Eu prometo que vou fazer o possível, pode ser?
Respondemos juntos:
— Pode.

* * *

Na noite em que chegamos de Lins, fui à casa do Henrique. O Rodrigo já estava lá. Fizemos um túnel com as almofadas e ficamos brincando com os nossos carrinhos. Falávamos muito sobre vários assuntos, menos sobre aquele que nos afligia. Até que, mais de uma hora depois de nos encontrarmos, perguntei se eles achavam que o Fábio Pequeno iria morrer. Sem olhar para mim nem parar de brincar, o Rodrigo respondeu:

— Tomara que morra, aquele chato!

O Henrique riu.

Nos meus dias mais otimistas, acredito que o sarcasmo era a única chave possível para que duas crianças de seis anos pudessem lidar com um evento tão violento. A voltagem de suas cabeças era mais baixa que a da notícia, e para evitar uma sobrecarga era preciso desligar o disjuntor emocional antes de fazer a conexão.

Nos dias pessimistas, penso que talvez fosse o contrário. Os dois já eram seres humanos formados, capazes de presenciar a tragédia alheia sem vínculos afetivos. Não gostavam mesmo do Fábio Pequeno e dava na mesma se, nos próximos dias, ele morresse ou não.

Brincamos um pouco mais no túnel, calados, então eu disse que tinha que voltar pra casa, peguei os meus carrinhos e fui embora.

Dez dias depois, o Fábio Pequeno chegou do hospital. Fomos visitá-lo, todas as crianças da vila. Ele nos recebeu de pijama, deitado no sofá, tomando sorvete. Em torno dele, papéis de presente se misturavam a caixas de remédio. Embora fosse dois anos mais novo do que eu, parecia um velho sábio, em sua convalescença.

Contou-nos — menos com a dor do trauma do que com o cansaço de quem repete a mesma história — que na hora o tiro não dói, você só sente uma coisa quente entrando. Depois, sim, é que nem um beliscão bem forte. Disse que os ladrões eram muito burros, acharam que ele ia fugir mesmo tendo levado o tiro: amarraram-no a uma cama, puseram um colchão em cima e uma televisão em cima do colchão, mas ele não conseguia nem andar. O colchão até que não foi ruim, porque um tempo depois de amarrado ficou com muito frio, sentiu uma moleza, um formigamento, aí dormiu e só acordou no hospital, quatro dias mais tarde.

Minha irmã quis saber se ele tinha sonhado durante o sono. Ele não se lembrava, só sabia que quando acordou estava meio engraçado, por causa da anestesia, queria falar e não conseguia — ele e a mãe riram bastante nessa hora.

Eu perguntei se haviam tirado a bala de dentro dele, ele disse que a bala tinha atravessado e saído pela coxa. O Henrique quis saber se tinham achado a bala no chão; ele disse que não. Alguém perguntou se ele ia querer guardar a bala, caso a achassem. Fábio não soube responder. Eu disse que, quando tiraram um berne da minha cabeça, o levei para casa, mas minha mãe não me deixou guardá-lo. O Fábio quis saber o que fiz com o berne e senti uma ponta de orgulho por meu berne causar algum interesse em alguém que acabara de levar um tiro. "Joguei na privada." "Mas ele tava vivo?" Eu expliquei que não, ele tava morto, num vidrinho com álcool. "Ah, entendi", disse o Fábio, então a mãe dele decretou que por hoje já estava bom, ele precisava descansar, e fomos embora.

Eu estava assistindo TV. Ao telefone, Vanda conversava com a cozinheira do Henrique, toda excitada: o Opala dos pais do Fábio Pequeno tinha sido encontrado num terreno baldio em Carapicuíba e acabara de chegar à vila. Ela saiu correndo para vê-lo. Fui atrás. Ela colou a cara no vidro e ficou espiando o interior. Perguntei o que ela estava fazendo. Sem interromper o escrutínio, me explicou que procurava "marcas de cigarro, manchas de bebida, essas coisas". "Que coisas?" "Bandido é assim, eles não tão nem aí pra nada, quando roubam um carro, apagam o cigarro direto no banco, vão comendo e bebendo, derrubando tudo, limpando as mãos em qualquer lugar..." "É porque eles não foram pra escola, nem os pais deles?" Vanda me olhou como se eu fosse uma aberração, depois soltou uma breve gargalhada e retomou a busca.

Um mês depois de o Fábio Pequeno voltar do hospital, fui almoçar em sua casa. À mesa, ele me contava detalhes da fisioterapia a que estava sendo submetido, três vezes por semana: era numa piscina ali perto da vila e usava umas boias compridas e coloridas que não existiam no Brasil, mas que seu tio trouxera lá dos Estados Unidos. Perguntou à mãe se podia ir ao quarto pegá-las para me mostrar. "Come primeiro, depois você mostra", disse ela, tocando um sininho. Da cozinha, surgiu a empregada, trazendo uma bandeja cheia de travessas. Eu não conhecia aquela mulher e perguntei pela Márcia, a antiga cozinheira. A mãe do Fábio ficou séria e seu marido disse que a Márcia não trabalhava mais lá. Eu quis saber por quê, eles se olharam e depois de um tempo o pai do Fábio Pequeno respondeu:

— Ela pediu demissão e voltou pra Bahia.

Enquanto as crianças se escondiam pela vila eu contava até cinquenta, o rosto apoiado nos braços, os braços apoiados num poste. A uns metros de mim, encerando um carro, o motorista do Henrique conversava com a cozinheira do Rodrigo:

— Será, é?

— Mas é claro, meu filho! Aquela ali nunca prestou, não. Só pode ter sido ela.

Parei de contar e, por entre os braços, fiquei espiando a conversa.

— Não sei, não — disse ele, passando a flanela num retrovisor. — Do jeito que apertaram a Márcia na delegacia, era pra ter confessado.

Naquela noite, em casa, perguntei à Vanda o que significava terem "apertado a Márcia".

— Eles perguntam se você conhece os ladrões, se foi você quem deu o endereço. Se você diz que não, eles te batem, torcem seu braço, afogam sua cabeça num balde, até você confessar.

Eu quis saber por que eles desconfiavam da Márcia, por que bateram nela, por que afogaram a cabeça dela num balde. A Vanda disse que isso não era da conta dela nem da minha, me mandou assistir televisão e foi arrastando os chinelos de volta à cozinha.

Senhor da chuva

Primeira série, escola nova. Em lugar da balbúrdia do tanque de areia, a geometria das quadras poliesportivas; em vez do chão protegido por linóleo, a aspereza do concreto; pelas paredes, as sílabas não eram mais do bê-á-bá, mas da tabela periódica; os desenhos feitos com as mãos sujas de guache davam lugar aos diferentes tons dos países e estados, na cartografia ainda incompreensível do novo mundo ao qual acabávamos de ser admitidos.

De tudo, o que mais me impressionou foi o laboratório. Os tubos de ensaio, potes de vidro, serpentinas, substâncias coloridas e nauseabundas faziam daquela parte do colégio um elo entre o passado e o futuro, entre a bruxaria dos contos de fada e a ciência (não menos mágica) das reações químicas. A sala de azulejos brancos era ao mesmo tempo uma câmara hiperbárica, destinada a nos trazer com segurança das obscuras profundezas da infância à terra firme do primário, e também um módulo lunar, capaz de nos levar às altitudes impensáveis dos milagres científicos — Jetsons, Frankensteins, Star Wars.

Se o céu era o limite para minhas expectativas, imagine meu

entusiasmo ao saber que iríamos começar direto por ele: segundo nos informou a professora de ciências no fim do primeiro dia de aula, na manhã seguinte aprenderíamos a "fazer chuva". Quase não dormi naquela noite. Olhando pro teto, imaginava nuvens pretas do tamanho de travesseiros cruzando o laboratório, relâmpagos de trinta centímetros carbonizando lápis e derretendo borrachas, os meninos assoprando os pés-d'água pra cima das meninas, elas os abanando de volta, com os estojos; vislumbrei torós, com o diâmetro de chuveiros, empapando os cadernos e fazendo mingau do pão Pullman em nossas lancheiras.

De jaleco branco e com a devida solenidade na voz, a professora perguntou: "O que é preciso pra fazer chuva? Alguém sabe?". De cara, imaginei um caldeirão de bruxa, olhos de sapo, línguas de cobra, asa de morcego, mas logo reprimi essas anacrônicas referências. Sabia que os instrumentos agora eram outros, mais adequados à alta evolução tecnológica da primeira série. Pensei em ferramentas de cientista maluco: misturas vermelhas, azuis e verdes, borbulhantes, soltando fumaça e escorrendo para fora de tubos de ensaio; bolas de vidro cruzadas por descargas elétricas; máquinas com mil botões, alavancas, manivelas e antenas, soltando bipes e shhhhhjjjjfffffs e faíscas bem diante de nossos narizes.

Para minha surpresa, a professora pegou um vidro do tamanho de um pote de maionese e uma mangueira com uma chama na ponta, não muito maior que a de um isqueiro Bic: "A gente só precisa disso aqui, ó: calor e água". Só? Nem uma pitada de um pó secreto, tirado com luva cirúrgica de um pote com a clássica imagem da caveira cruzada por ossos e a palavra "PERIGO!"?

Tentei racionalizar minha frustração: varinhas de condão tampouco eram objetos muito complexos e todos sabíamos de seus poderes, não? Claro: tanto fazia a simplicidade dos instrumentos, contanto que produzissem a tempestade.

Sob orientação da professora, acendemos a chama (o "bico de Bunsen"), enchemos com água o pote ("béquer") e o colocamos sobre o fogo. Ela pediu para que tampássemos o recipiente com uma lâmina de vidro. Fiquei ressabiado. "Desse jeito, como a nuvem preta vai sair do pote?" "A chuva não vai sair", me respondeu ela, "vai acontecer todinha aí dentro."

Segunda frustração, segunda racionalização: aparentemente, não teríamos *cumulus nimbus* grandes como travesseiros e sim, no máximo, do tamanho de caixas de fósforo, mas beleza: quem sabe, ao final do dia, cada um poderia levar sua chuva para casa, como um broto de feijão no algodão ou um pintinho ganhado numa feira do Anhembi? Eu deixaria a minha nuvem na mesa de cabeceira; os pequenos relâmpagos iluminando o quarto escuro e a água caindo sobre um copo, do qual eu beberia caso tivesse sede no meio da noite. Será que com o tempo essas nuvens cresciam, como os brotos de feijão e pintinhos? E, ao ganharem corpo, subiriam como balões de gás hélio, indo fundir-se a seus pares no alto do céu?

Enquanto a água esquentava, a professora nos contou o que veríamos a seguir: de forma clara e compreensível, explicou o processo de ebulição, evaporação, condensação. Enquanto falava, víamos a água borbulhar, o vapor tomar o cilindro de vidro, as gotas se formarem na tampa e caírem de volta no fundo. "Pronto!", disse ela, "Aí está! Vocês acabaram de fazer chuva!"

Nenhum trovão? Nenhum relâmpago? Nem mesmo um ventinho a balançar as persianas do laboratório? Só uma goteira através do vidro embaçado? Como podiam chamar aquilo de chuva? O pior é que eu entendi perfeitamente como: o mundo era um béquer, o sol era o bico de Bunsen, os rios, lagos e oceanos eram aqueles dois dedos de água. Eu havia mordido o fruto da árvore da Ciência do Bem e do Mal e tinha sido expulso do Éden, não existiam mais bruxas nem dragões, poções mágicas ou varas de condão, e a natureza cabia num pote de maionese.

Presente dos céus

Havia dois tipos de mãe. As que, como a minha, passavam a serenidade de uma cama feita, o respeito de uma mesa posta. Sob a supervisão de uma dessas avalistas da ordem e da paz, eu podia dormir na casa de um amigo e até viajar com a família dele num fim de semana, pois sabia que logo ali, no quarto ao lado, estava uma embaixadora do país maternidade, em meio aos perigos da terra estrangeira. Havia outras mães, porém, que desde cedo me despertavam sentimentos ambíguos. Mães loiras. Mães ruivas. Mães de calças justas. Mães de botas de couro. Mães com grandes brincos dourados, muito perfume e batom. Essas mulheres tinham algo de subversivo que eu não conseguia apreender — como se pudessem, antes do almoço, abrir um armário e dizer: "Olha quantos chocolates, Antonio, vem comer esses chocolates comigo, vem?". Diante delas, não me sentia protegido ou cuidado: sentia-me tentadoramente desamparado.

A mãe do Arthur era do segundo tipo. A primeira vez que a vi foi no aniversário de seis anos do meu colega. A festa teve palhaço, cama elástica e até um mágico tirando lenço do ouvido e pomba da cartola, mas eu não despreguei os olhos daquela mãe, de suas unhas dos pés pintadas de vermelho, de suas sandálias com tiras que subiam pelas panturrilhas em direção a uma minissaia de couro preta. Lá pelas tantas, eu estava com três amigos no playground do prédio e ela veio nos chamar para cantar o parabéns. Antes de sair, fez um carinho no meu cabelo. A brisa de perfume, somada ao movimento do gira-gira, me deixou meio tonto, sem saber se queria agarrá-la pelas pernas ou me esconder do outro lado do brinquedão — provavelmente, as duas coisas ao mesmo tempo.

Mil novecentos e oitenta e seis foi um ano temático, o ano do cometa Halley. Claro, teve a Copa do México — o pênalti do Zico pra fora, a bola da França batendo na trave, nas costas do Carlos, e entrando, desclassificando o Brasil —, mas todos sabíamos que aqueles eram eventos menores, glórias e fracassos quadrienais e terrenos, incomparáveis ao acontecimento septuagenário e interestelar, para o qual eu e boa parte dos quase 5 bilhões de habitantes do planeta passamos a fazer contagem regressiva assim que 85 foi chegando ao fim.

Imagine: você mal abandonou o mundo das bruxas e dragões — lá no fundo, sobrevive a pequena esperança de, um dia, voar como o Super-Homem ou os amigos do ET — e te dizem que um cometa vai cruzar o céu. Você ainda não sabe o que é um cometa, mas o predicado basta para te deixar morto de curiosidade: algo vai "cruzar o céu", e será de noite, e poderá ser visto em todos os cantos da Terra. Então te explicam o que é um cometa — aí é que você mal pode acreditar: uma gigantesca bola de fogo que viaja pelo cosmos como um caubói solitário, um Gerônimo sem tribo, arrastando sua cabeleira flamejante pelos ignotos confins da Via Láctea, voltando só a cada 76 anos. Uma dessas visitas coincide com um feriado no meio da sua primeira série: como não se sentir grato aos céus por aquele presente? Quando a data foi se aproximando, não havia outro papo na escola senão o cometa. Onde vê-lo? Como? Com quem? O Felipe ia com a família para Ubatuba: o pai dele tinha comprado um telescópio americano que enxergava até os anéis de Saturno. A mãe da Cíntia estava organizando uma excursão a um observatório em São Carlos. O Cauê ia com o avô para o Chile: veriam a passagem do topo de uma montanha tão alta que quase queimariam as pestanas. A família do Arthur tinha um sítio em Monte Verde. Era um lugar ermo, no meio da floresta, sem luz elétrica e tão escuro que, quando o Halley surgisse, projetaria nossas sombras na grama. Se eu quisesse, podia ir junto.

Na sexta, fui de mala para a escola e, no fim da tarde, a mãe do Arthur apareceu para nos pegar. Eu não a via desde aquele aniversário, dois anos antes. O cabelo agora era preto e as unhas, violeta. Fumava uns cigarros fininhos, de filtro branco, e as bitucas manchadas de batom transbordavam no cinzeiro do painel. O cheiro de tabaco e perfume, somado à fumaça que transformava o carro numa pequena sauna, lembrava os camarins que frequentávamos nas estreias das peças do meu pai — ou seriam os inferninhos da região?

Chegamos a Monte Verde numa noite de céu limpo e sem lua, mas o Halley só daria o ar de sua graça na segunda-feira: em meio ao breu, viam-se apenas estrelas e esporádicos vaga-lumes. Passei o fim de semana perturbado, dividido entre a promessa celeste e certa presença telúrica. Lembro da mãe do meu amigo no café da manhã, vestindo baby-doll, um robe de seda preto e pantufas com pompom. (Hoje, enquanto escrevo, percebo o quão improvável é esse figurino de *femme fatale*, mas foi assim que minha memória vestiu aquela mulher e é assim que ainda a vejo, uma Lauren Bacall fazendo um tostex no fogão.) Lembro de ficar à beira da piscina, aguardando o momento em que ela entrasse na água para então jogar uma moeda lá no fundo e mergulhar, admirando aqueles pés de unhas pintadas através das lentes embaçadas dos meus óculos de natação. Lembro da noite de domingo, eu e o Arthur deitados na grama fria, as vozes e risos dos adultos lá longe, na casa, nossos olhos pregados ao céu, imaginando a hora em que o cometa o cruzaria como um peixe dourado num pequeno aquário redondo.

Ao entardecer da segunda-feira, descemos para a piscina e nos sentamos nas espreguiçadeiras, sem acreditar no que estávamos prestes a presenciar: depois de 76 anos algures, o *lone ranger* voltava para nos visitar. Quando os últimos raios sumiram detrás da montanha e o breu nos abraçou, erguemos os olhos em busca da labareda, mas não vimos nada além do polvilhado de estrelas e do piscar intermitente de um vaga-lume.

O.k., eu já tinha um pequeno currículo de gozos adiados: brinquedos que vinham sem pilha, sorveterias fechadas, figurinhas repetidas, leões e tigres que, justo na hora da minha visita ao zoológico, resolviam dormir atrás de uma pedra. Nessas horas, era preciso fazer o que se fazia quando não havia mais nada a se fazer: esperar. E assim fizemos: esperamos, esperamos, esperamos, até que, depois de uns quarenta minutos sem que nem uma pontinha da juba amarela despontasse por trás da inaudita rocha celeste, a mãe do Arthur resolveu pegar a luneta lá na casa. Talvez tivessem exagerado. Talvez o Halley não fosse visível a olho nu. Através das lentes, contudo, veríamos o cometa tal qual o conhecíamos das propagandas, camisetas, desenhos animados, outdoors, rótulos de achocolatados e demais imagens que, havia mais de um ano, inundavam nosso cotidiano e nossa imaginação.

Ela voltou com a luneta numa mão e uma taça de vinho na

outra. Deu um gole, apoiou a taça numa mesinha, acendeu um cigarro, deitou-se na espreguiçadeira e ali ficou, fumando e escrutinando o céu. Então, depois de alguns minutos anunciou, sem grande animação: "Achei". Com um sorriso condescendente, nos avisou para não esperarmos grande coisa: a brasa do seu cigarro era mais emocionante.

O cometa, como saberíamos pelos jornais no dia seguinte, estava passando muito longe do sol. Sem o calor, sua cauda — que, ao contrário da propaganda enganosa, era de gelo, não de fogo — não havia se formado. O Halley era apenas um pontinho borrado, uma estrela um pouco maior do que as outras, um leão sem juba, anão e banguela.

"Vem ver, filho", disse a mãe do Arthur, deitando-o em seu colo e apontando as lentes na direção correta. "Nossa, muito idiota", ele resmungou, "parece o algodãozinho do cotonete", então me passou a luneta. Pus os olhos no buraquinho e, deitado em minha espreguiçadeira, mirei na direção que a mãe do Arthur apontava, mas não consegui ver nem mesmo a cabeça de cotonete: a luneta era grande, pesada e cada mínima oscilação de minhas mãos eram milhões de anos-luz para cada lado.

"Vem cá, deita no meu colo", disse a mãe do Arthur — e o cometa que eu não via no céu apareceu, feito de fogo e de gelo, na boca do meu estômago. Era como se aquela mãe finalmente tivesse aberto o armário e dissesse: "Vem, Antonio, vem comer esses chocolates". "Não precisa", respondi, tão nervoso que seria incapaz de focar a Lua, se Lua houvesse, mas quando dei por mim ela já havia me feito levantar e, delicadamente, me deitado em seu colo. Senti a pressão dos seus peitos nas minhas costas e sua respiração na minha nuca. Ela pôs a luneta sobre meu olho direito e, colando o rosto ao meu, acertou a posição: ali estava o Halley, a decepcionante cabeça de cotonete no meio das caspinhas de estrelas; ali estava eu, pairando a alguns metros do chão, sentido o corpo leve e pulsante, como se, levitando, subisse devagarinho rumo à Via Láctea.

"Tá vendo agora?", me perguntou a mulher, com seu hálito de vinho, cigarro e perfume. "Ainda não. Onde?", respondi, grato aos céus por aquele presente.

Patos

Estávamos andando de bicicleta, na vila: eu, o Fábio Grande e um primo dele, Augusto, dois anos mais velho que a gente. A brincadeira era seguir em velocidade pela calçada e, usando como rampa a pequena elevação da guia rebaixada para o meio-fio, saltar para a rua. O Augusto conseguia subir bastante e, no ar, dava uma viradinha na roda da frente, como que desdenhando da gravidade. Eu, medroso, mal passava da altura da guia e assistia, todo reverente, à ousadia do garoto.

Quando nos cansamos, fomos até o Matão e nos sentamos na mureta. Ficamos um tempo quietos, retomando o fôlego, quebrando gravetos e observando sem muita atenção uma trilha de saúvas. O primo do Fábio Grande então cuspiu pro lado, limpou o suor do buço na manga da camiseta e, sem qualquer razão aparente, mencionou as tais "revistas de sacanagem": disse que tinha uma coleção delas em sua casa e perguntou se queríamos ver.

Eu nunca tinha ouvido falar em "revistas de sacanagem", mas pelo nome deduzi do que se tratava: uma publicação, provavelmente ilustrada, dedicada à arte de sacanear os outros. Como fazer cama de gato, passar rasteira, amarrar os cadarços dos colegas durante a aula, preparar peido de "veia" com ingredientes que você encontra na cozinha, esse tipo de coisa. Não era muito a minha praia, mas não queria parecer covarde e disse que sim, claro, gostaria muito de ver a coleção.

Animado, o Augusto passou a comentar as fotos. Falou de uns homens que "fodiam" as mulheres e "gozavam na cara delas". Imaginei umas moças tropeçando nos cadarços amarrados por eles ou sentando em almofadas com som de pum, enquanto os homens se acabavam de rir na cara delas. Ele mencionou "a porra escorrendo pela boca" e pensei naquelas balas com recheio de anilina, a tinta azul descendo pelo queixo. Só quando começou a falar das "tetas" que eram "chupadas" e de um "metendo por trás" (metendo o quê? Por trás de onde?) percebi que não fazia a menor ideia do que eles estavam falando e me manifestei.

Augusto riu, Fábio Grande o acompanhou — embora parecesse tão perdido quanto eu. Quando a paz se restabeleceu, o primo do meu vizinho explicou, com ar de superioridade, o conteúdo das revistinhas: homens e mulheres fazendo sexo. Muitos homens, muitas mulheres, muito sexo, de todas as maneiras que você pudesse imaginar.

Fiquei duplamente curioso. Primeiro: para que serviam revistas com fotos de pessoas fazendo sexo? Segundo: por que eram chamadas "de sacanagem"? À primeira pergunta, Augusto respondeu laconicamente: "Porque é legal de ver, ué!". Para a segunda, não tinha explicação, disse apenas que era assim que o pessoal do prédio se referia a elas e ponto.

Depois de ouvirmos, quietos, uma breve explanação sobre o coito e suas inúmeras variações, o Fábio pediu que o Augusto nos trouxesse uma daquelas revistas no próximo fim de semana.

Impossível, disse o primo: a coleção era fruto de um complexo esquema de distribuição que, se descoberto, acabaria com a alegria de todos os moradores de dez a quinze anos do prédio e custaria, provavelmente, o emprego do seu Olacir, o porteiro. Se quiséssemos ver as tais fotografias, teria que ser *in loco*.

No outro domingo, com o argumento não inteiramente falso de que iríamos ao apartamento do Augusto conhecer o videogame americano que ele tinha ganhado de Natal, conseguimos convencer a mãe do Fábio Grande a nos levar até lá.

Durante boa parte da tarde seguimos o script oficial, atirando com pistolas cor de laranja em patos que saíam de trás de uns arbustos, na TV. Em qualquer outra situação, seria um programa interessante. Naquele dia, contudo, pareceu-me a brincadeira mais idiota da Terra. Só umas duas horas mais tarde, quando a mãe do Augusto disse que ia dar uma passada na Marli, do 22, pra pegar uma receita de torta mousse de limão, é que pudemos mirar em nosso verdadeiro alvo.

Entramos no quarto do Augusto, trancamos a porta, ele arrastou a cadeira da escrivaninha até a frente do armário, subiu e abriu o socavão. Lá do fundo, tirou uma mala toda puída e, de dentro dela, um bolo de revistas fininhas, não maiores do que meus gibis da Turma da Mônica. Sem preliminares, o garoto abriu uma delas na foto central e botou a mulher, de pernas escancaradas, bem na nossa cara.

Surpreendente.

O que eu sabia, até aquela tarde, sobre o órgão sexual feminino? Em teoria, que se tratava de um orifício, um buraco onde o papai punha o pinto e deixava uma sementinha. Na prática, por já ter visto minhas irmãs e primas peladas, sabia que o tal orifício culminava num risquinho, discreto e rechonchudo. Portanto, esperava no máximo um risquinho maior, uma vez que nas adultas tudo era maior, mas nada além de um riscão, uma fenda entre as pernas, cercada por discretas bochechas latitudinais e coberta, segundo boatos, por alguns pelos.

O que o Augusto me mostrava, contudo, ia totalmente contra as expectativas — e mais, contra a lógica. Não se via buraco, não se via sequer o risquinho, viam-se encostas, fiordes, arrecifes, cordilheiras. Onde, nas meninas, havia design nórdico, nas mulheres aflorava a obra de um escultor barroco. Eu sabia que seria surpreendido, mas havia me preparado para os sustos e perigos do túnel, da queda, do vazio. Do precipício esperado, nem um sinal: mas as bordas, meu Deus!

Enquanto virava as páginas, o primo do Fábio fazia comentários com uma estranha agressividade: "Olha só como ele fode essa aqui!", "Eles tão mandando ver na ruiva!", "Olha que vagabunda, essa loira! Toma, loira vagabunda!". Era como se o sexo fosse uma luta dos homens contra as mulheres e ele narrasse, orgulhoso, a vitória de nosso time.

Depois de alguns minutos de sacanagem, tomei coragem e fiz a pergunta que, à boca pequena, me sussurravam aqueles grandes lábios: as xoxotas das nossas mães, das nossas tias e professoras também eram como aquelas? Estaria eu, havia tanto tempo, lidando com adultas amáveis e aparentemente inofensivas sem saber que traziam entre as pernas purpúreas anêmonas, violáceas caravelas? Augusto riu da minha cara, Fábio o imitou. Eu, nervoso, ri também. "Claro que não!", disse o primo: aquelas mulheres das revistas eram "umas arrombadas!". Elas iam trepando muito e com todo mundo, por isso "perdiam as pregas" e ficavam assim, "arregaçadas". As "mulheres normais", ele me garantiu, tinham apenas um risco, coberto de pelo.

Quando a mãe do Augusto voltou com a receita da torta mousse de limão, já nos encontrou diante da TV, com as pistolas nas mãos e os olhos arregalados, tentando nos concentrar nos patos que surgiam detrás dos arbustos.

Pela janela

Quando, lá pelo fim do primeiro semestre, a caminho da perua, Marina emparelhou comigo e, sem me olhar nem mudar o passo, me entregou o papelzinho dobrado — como se ela fosse uma combatente da Resistência Francesa e adivinhasse em mim um simpatizante, talvez interessado em comparecer à próxima reunião clandestina —, descobri que a amava e que era correspondido.

"Descobri" não é exatamente o termo. Afinal, bastaram alguns dias na escola nova para saber que sentia algo por ela: só não entendia bem o quê — uma vontade de sentar ao seu lado na classe; uma tendência a me meter atrás dela na fila do bebedor, mesmo sem nenhuma intenção de beber água; um prazer misterioso em espiá-la de longe, no pátio, comprando o lanche na cantina, pulando elástico, fazendo um rabo de cavalo antes de entrar na queimada.

Nesses momentos de proximidade ou tocaia, eu oscilava: numa hora, me sentia calmo e leve como se imerso numa banheira de água quente; logo depois, contudo, um vento frio me lambia dos pés ao cocuruto — e se ela percebesse aquela minha mania, aquela estranha fixação? O que iria pensar de mim? E se todos percebessem? O que iriam pensar de mim? Passei os quarenta minutos na perua com a mão fechada, o bilhete amassado ali dentro, as conversas, risos e gritos das outras crianças entrando por um ouvido e saindo pelo outro, meu coração parecendo um lambari na ponta no anzol: as sístoles regidas pela glória de me saber correspondido, as diástoles pelo pânico de ser descoberto.

Mas que havia de tão terrível para ser descoberto? O que havia de vergonhoso, afinal, no amor? Eu não sabia. Talvez uma ligação íntima com um indivíduo do sexo oposto significasse traição ao grupo dos meninos, uma atitude muito pouco máscula, como se eu estivesse desistindo do futebol para brincar de bonecas ou pular amarelinha. Talvez a traição não fosse de gênero, mas etária: namorar era coisa de adultos ou adolescentes e, portanto, trazer aquele nó no peito revelaria uma pretensão ridícula. Não saber o que eu temia me deixava ainda mais temeroso, de forma que só quando me vi em casa, sozinho, no fundo do quintal, tomei coragem e abri o bilhete.

Desenhado a lápis, no alto do pequeno retângulo, um avião. Do meio do avião se abria uma porta e, por ali, jorravam flores, pintadas a canetinha. Lá embaixo, de braços abertos e sorrindo, um menino recebia a chuva colorida. Ao lado: "Antonio, você é muito legal. Assinado: Marina".

Tarde da noite, depois de muitos esboços e com uma lanterna sob o lençol para não acordar minhas irmãs, consegui acabar a resposta. Ocupando quase toda a superfície de uma folha de papel sulfite, fiz um circo, com listras azuis, vermelhas e brancas no toldo. No alto, o letreiro: "Grande Circo Marina". Embaixo, à direita, uma flechinha e a indicação: "Abra".

Na outra página, grampeada à primeira, fiz o interior da tenda. Em cima de um tamborete, no meio do picadeiro, uma bailarina. Em seu collant: "Marina". Em torno dela, um mágico, dois palhaços, um leão, uma foca e um elefante bradavam em balões de HQ: "Marina!". De ponta-cabeça, em pleno ar, trapezistas gritavam: "Marinaaaa!". Na plateia, o público segurava cartazes: "Viva a Marina!", "Eu ♥ Marina!", "Vai, Marina!". Num canto da arquibancada, fiz um garoto sentado: um aviãozinho numa mão, uma flor na outra e, para não haver chance de equívoco, uma flecha indicando: "Eu". Em cima dele, um balão: "Marina, você também é legal. Assinado: Antonio". Fui dormir em êxtase.

Acordei em pânico. Disse à minha mãe que não me sentia bem, estava enjoado, talvez com febre ou gripe ou dor de barriga. Quer dizer: estava enjoado E com febre E gripe E dor de barriga. Que tal se eu não fosse pra escola? Ela tomou minha temperatura, olhou no fundo dos meus olhos e, com um sorriso indeciso entre o cúmplice e o acusatório, me mandou pro banho.

Passei a manhã aflito, andando pela casa, secando as mãos suadas na calça de moletom. No almoço, só mexendo a comida de um lado pro outro no prato, fiquei imaginando pequenos eventos que, com uma boa vontade dos deuses, me impediriam de ir à escola. E se a perua quebrasse a caminho de casa? E se, melhor, ela se envolvesse num acidente, um acidente grave, pegasse fogo? Duvido que teria aula se a perua explodisse.

O telefone tocaria, seria uma professora. Chamaria minha mãe. Diria que, em respeito às vítimas, as aulas daquela tarde estavam sendo suspensas. Da semana inteira, aliás. Os professores deveriam se reunir nos próximos dias para decidir se valia a pena continuar com a escola, depois da tragédia. Talvez fosse o caso de ir procurando vagas para mim e minhas irmãs em outras instituições de ensino. Eu já estava pensando em que desculpas inventar para não ter de ir ao enterro dos meus colegas — onde, evidentemente, Marina estaria esperando a minha resposta —

quando a perua buzinou, em frente de casa. Fiz todo o trajeto agarrado à mochila, como se ela fosse transparente e a carta, em luz neon, pudesse anunciar a todos minha vergonhosa condição.

Entrei na classe e a Marina já estava em seu lugar, próximo à porta, ao lado da Titina. Não tive coragem de encará-la — bastariam nossas pupilas se cruzarem, eu temia, para que fôssemos desmascarados —, mas reparei, de soslaio, que ela interrompia o papo com a amiga e me seguia com os olhos, abrindo um sorriso apreensivo e esperançoso. Continuei andando até o outro lado da sala, sentei no fundo e, ao longo do dia, fiz de tudo para não me virar para a porta: me concentrei na lousa, na professora, na janela e no telhado da cantina, logo abaixo; organizei obsessivamente o estojo, pondo e tirando lápis, canetas, borracha e apontador de suas pequenas cintas elásticas, até que ficasse parecendo um estojo arrumado pela mãe no primeiro dia de aula; depois o desarrumei com o mesmo afinco, pondo a borracha no lugar do apontador, o apontador no lugar da borracha, lápis e canetas virados um para cada lado, até ficar parecendo o estojo de um repetente um minuto antes das férias.

O sinal do recreio tocou. Saí correndo, me enfiei num futebol na última das quadras e não subi para a classe até que já estivessem todos sentados e a aula prestes a começar. A expressão da Marina, que eu ainda captava nos arrabaldes do meu campo de visão, havia evoluído da apreensão esperançosa para um fatalismo sombrio. Ao seu lado, a Titina parecia tentar acalmá-la, falando baixinho e de tempos em tempos olhando para mim.

Por mais duas aulas, mantive o pescoço firme e os olhos apontados para a frente, como um cavalo em parada militar, até que o sinal da saída tocou. A Marina se levantou para ir embora e, de pé, lá do outro lado da classe, me encarou por uns bons quinze segundos — uma eternidade durante a qual permaneci abaixado, simulando alguma dificuldade para guardar as pastas na mochila. Quando ela finalmente saiu da classe, contei até cinquenta, e só então saí também.

Arrastei-me em direção à perua, me sentindo o pior dos seres humanos. Pior do que no dia em que convenci o Henrique a abrir um sapo com uma enxadada, pra ver como era dentro. Pior do que no Natal em que arranquei, lenta e meticulosamente, todo o papel de parede do lavabo da minha tia. Pior até do que quando, naquele mesmo Natal, a culpa pelo papel de parede recaiu sobre um primo de três anos, incapaz de se defender e cujo choro, inconformado, foi interpretado pela família como inequívoca confissão. Nesse estado deplorável eu entraria na Kombi, chegaria em casa e pediria à minha mãe para me trocar de escola, não fosse uma mão me puxando pela camiseta, quase rasgando a gola em meu pescoço. Virei e dei com a Titina: "A Marina tá te esperando atrás do brinquedão". Era uma ordem — e eu obedeci.

Cheguei ofegante. Olhei em volta: só havia nós dois. Não dissemos nada, pus a mochila no banco, abri, entreguei a carta, vi os olhos da Marina emergirem do fundo de um pântano e serem inundados pelo sol, saí correndo.

Foi uma noite estranha. Por um lado, sentia meu corpo boiando naquela banheira morna — e a banheira planando em cima das nuvens —, mas, como num desenho animado, assim que percebia o vazio embaixo dos meus pés, despencava no abismo.

Na manhã seguinte, outra vez, ensaiei o golpe do "não estou me sentindo bem", mas se já não funcionara na véspera, agora, reincidente, é que não iria colar. Na perua tentava me acalmar: eu já havia feito a minha parte, respondendo o bilhete, certo? Não se esperava de mim qualquer atitude. Era só chegar lá e agir naturalmente. A Marina não seria louca de contar para todo mundo, de colar meu desenho na lousa, pregá-lo no mural de cortiça ou algo do gênero. O maior perigo era que a informação chegasse aos meninos, mas como chegaria? Eram mundos estanques, opostos, havia um muro de desprezo e hostilidades entre nós.

Como na véspera, quando cheguei a Marina já estava em seu lugar, ali na frente. Ela me sorriu, fiz que não era comigo: mirei a janela, atravessei a sala como um alazão em Sete de Setembro e me sentei no fundo. O dia foi passando, ela de um lado, eu do outro: vimos um fóssil de peixe na aula de ciências; treinamos o uso do S, do X e da cedilha, em português; jogamos handebol na educação física, logo depois do recreio.

A última aula era de matemática. A professora distribuiu umas peças de madeira: cubinhos, barrinhas, plaquinhas e o cubão. A barrinha era composta por dez cubinhos, colados. As plaquinhas, por dez barrinhas; e o cubão, por dez plaquinhas. A professora pediu que formássemos grupos de quatro. Com medo de que a Marina me chamasse e, na frente de outras duas pessoas, tocasse no assunto proibido, me associei correndo aos meninos mais próximos, juntamos as mesas e o trabalho começou. Na lousa, as perguntas foram escritas. "Se tirarmos três cubinhos de uma barrinha, quantos cubinhos sobram?", "Se uma barrinha tem dez cubinhos, quantos cubinhos têm duas barrinhas?", "Quantos cubinhos tem um cubão menos sete cubinhos?", assim por diante.

Ao ver que os alunos mais previdentes ou afobados já iam guardando o material em suas mochilas e que a aula se aproximava do fim, fui tomado por uma súbita tranquilidade: o pior havia passado, a cada dia estaríamos mais longe dos bilhetes, menores seriam as chances de que algo desse errado, em breve eu poderia voltar à minha rotina de admirador secreto, de observador distante — então a Titina se levantou.

Enquanto caminhava em nossa direção, torci para que fosse apenas entregar os exercícios à professora, mas ela passou direto pelo meio da classe e seguiu caminhando. Concentrei-me nos cubinhos, nas barrinhas, no cubão, disse alguma coisa sobre a resposta da questão três, sugeri que refizéssemos a conta, como se o trabalho fosse um buraco no qual eu pudesse enfiar a cabeça, fugindo da Titina e do que quer que ela pretendesse comigo. Infelizmente, minha estratégia saiu pela culatra: vendo-me tão entretido no exercício, em vez de entregar em mãos o bilhete que trazia, largou-o em cima da minha mesa e saiu andando. Meus olhos alcançaram o pequeno retângulo de papel junto com os dos meus colegas, e, percebendo a curiosidade em seus rostos, fiz a primeira coisa que me passou pela cabeça — ou melhor, que não me passou: num reflexo dos mais irrefletidos, arremessei o bilhete pela janela. Os três deram um salto e se debruçaram sobre o beiral, já alardeando aos quatro ventos: "A Titina mandou uma cartinha pro Antonio! O Antonio jogou a cartinha fora!". Num pulo, meti meu corpo entre eles, antes que o resto da classe chegasse para assistir à minha desgraça — e ali estava ela, sobre o telhado da cantina, a um metro de nós. Para meu azar, ou talvez por castigo dos deuses, o papelzinho caíra meio aberto: do lado de fora, quarenta olhos famintos conseguiam ler:

De: Marina
Para: Antonio

Dentro, do lado direito, exposta à visitação pública:

Quer namorar comigo?
☐ *Sim*
☐ *Não*
☐ *Talvez. Vou pensar.*

139

Todos gritavam e gargalhavam, mas eu não era capaz de ouvir nada, só via as goelas escancaradas, os dentes, as línguas e os dedos apontando ora para mim, ora para Marina. Na frente, a professora batia o apagador na lousa, gesticulava, aflita, e eu lia "Silêncio! Silêncio!", em seus lábios. Lá do outro lado, a Titina me encarava com ódio e a Marina chorava. Eu preferiria que fosse um choro de raiva, que ela me xingasse ou me agredisse, que sua ira desabasse sobre a minha cabeça como os céus nos piores temores do Asterix, pois já estaria aí o início de minha punição e com ela a esperança de um dia, lá adiante, quem sabe, a absolvição, mas não: era um choro manso, triste.

O sinal tocou. A Titina recolheu o material da amiga, pegou-a pela mão e saíram apressadas pelo corredor. Eu pensei em ir atrás, mas o que poderia argumentar em minha defesa, agora que o estrago havia sido feito, que a classe uivava como num motim de piratas, que dez garotos, com meio corpo para fora da janela, tentavam pescar com réguas e compassos o pedido de namoro para, quem sabe, pregá-lo no mural, para colá-lo em minha testa ou para que fosse anexado aos autos do meu processo, no dia do juízo final?

Naquela noite, tive pela primeira vez um sonho que se repetiu até o fim da infância, me seguiu pela adolescência e ainda hoje, vez ou outra, volta para me visitar. Eu acordo, saio de casa, pego a perua, desço na escola, cruzo o pátio, subo a escada, entro na classe, paro diante dos meus colegas e fico ali, em pé, pelo que parece ser muito, muito tempo, todos me olhando em silêncio e eu esperando o momento em que se darão conta do que, surpreendentemente, demoram tanto a perceber: que eu estou nu; nu, de botas.

1ª EDIÇÃO [2013] 14 reimpressões

ESTA OBRA FOI COMPOSTA EM ELECTRA PELO ESTÚDIO O.L.M. / FLAVIO PERALTA E IMPRESSA EM OFSETE PELA GRÁFICA BARTIRA SOBRE PAPEL PÓLEN BOLD DA SUZANO S.A. PARA A EDITORA SCHWARCZ EM MAIO DE 2024

A marca FSC® é a garantia de que a madeira utilizada na fabricação do papel deste livro provém de florestas que foram gerenciadas de maneira ambientalmente correta, socialmente justa e economicamente viável, além de outras fontes de origem controlada.